CORTO

An Teach Órga i Sam

Date L

Dearadh agus Leagan Amach: Cong S.A.
Dathadóireacht: Patrizia Zanotti
Clúdach: Cong S.A.
Litreoireacht: Leabhar Breac

www.leabharbreac.com

ISBN 978-1-909907-43-0

Foras na Gaeilge

Tugann Foras na Gaeilge tacaíocht airgid do Leabhar Breac

Tugann an Chomhairle Ealaíon tacaíocht airgid do Leabhar Breac

CORTO

HUGO PRATT

An Teach Órga i Samarkand

leabhar breac

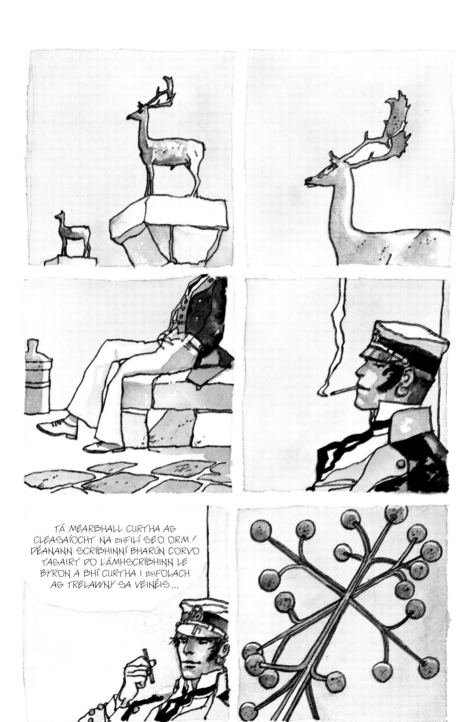

TÁ MEARBHALL CURTHA AG
CLEASAÍOCHT NA BHFILÍ SEO ORM /
DÉANANN SCRÍBHINNÍ BHARÚN CORVO
TAGAIRT DO L'ÁMHSCRÍBHINN LE
BYRON A BHÍ CURTHA I BHFOLACH
AG TRELAWNY SA VEINÉIS ...

...ANSEO I RÓDAS ATÁ I GCEIST AGAM!

SEA... EDWARD JOHN TRELAWNY...

...CHUIR SÉ CUIMHNÍ CINN A CHARA, AN FILE BYRON, I BHFOLACH ANSEO I RÓDAS, I MOSC KAWAKLY...

...NÓ SA LOGGIA DELLA LINGUA FRANCIA AR SHRÁID RIDIRÍ NAOIMH EOIN...

6

TÁIM "FAOIN
NGEALACH" ...

...AGUS
"AR AN MOSC"/

NÍOR THARLA TADA FÓS/
TUILLEADH DE CHLEASAÍOCHT
NA BEIRTE SIN/ TRELAWNY AG
MAGADH FAOI BHARÚN CORVO
AGUS É SIÚD AG MAGADH FÚMSA.

ACH TÁ NÓTAÍ BHARÚN CORVO
SOILÉIR: CHUIR TRELAWNY
LÁMHSCRÍBHINN BHYRON
I BHFOLACH FAOIN NGEALACH,
AR CHRUINNEACHÁN
SHEANMHOSC AN PHLÁNA,
AR A DTUGTAR KAWAKLY ...

ACH NÍ POINTE TAGARTHA CRUINN
ATÁ SA GHEALACH ... NÍ MAR A
CHÉILE A SOLAS GACH OÍCHE ...

TÁ AM NA BPLÁINÉAD ANN;
AM NA RÉALTAÍ; AGUS AM NA
GEALAÍ - AGUS NÍ THAGANN
NA NITHE SIN LE CHÉILE ACH
UAIR SA CHÉAD. NÁRBH
FHEARR RÉALTA ÉIGIN NACH
SCORRAÍONN A ÚSÁID MAR
PHOINTE TAGARTHA?

10

13

TOCK TOCK!

TÁ TURAN MARBH.

A DHAOINE UAISLE ...

14

15

... MAR A BHÍ SOCRAITHE AGAINN, AGUS TÁ BRATACH NA GLUAISEACHTA PAN-TURCAÍ CROCHTA SA CHUGAS AGUS SA CHUID SIN DEN TUIRCEASTÁIN ATÁ I SEILBH NA RÚISE.

TÁ AN GINEARÁL KEMAL TAR ÉIS BRISEADH LINN, AGUS TÁ AN TUIRC Á TABHAIRT AIGE I DTREO NA CONTÚIRTE – AGUS NÍ BHEIDH DE THORADH AIR ACH LAGÚ ÁR DTÍRE, BRISEADH LENÁR DTRAIDISIÚIN ...

... AGUS DEIREADH LEIS NA PRIONSABAIL A SEASAIMID LEO.

ACH CÉ HÉ AN CHEVKET SEO ATÁ CHOMH COSÚIL SIN LIOM? CUIREANN SÉ MÍSHUAIMHNEAS ORM.

ACH, A BHAHIAR...

NÍ AONTAÍM LEAT NUAIR A DEIR TÚ GO BHFUIL DOCHAR Á DHÉANAMH AG AN NGINEARÁL KEMAL DÚINN ...

TUAR BÁIS A BHÍ ANN DÁ GCASFAÍ DO LEATH-CHEANN FÉIN ORT, A DEIREADH MO MHÁTHAIR.

TÁ AN TUIRC IN ÁIT AN-BHAOLACH – FAOI SMACHT AG SASANAIGH, AGUS IAD SIÚD INA GCAIRDE AG NA GRÉAGAIGH AGUS AG AN SABHDÁN I GCATHAIR CHONSTAINTÍN.

TÁ SÉ SEO AR FAD AR EOLAS AGAINN!

TUAR BÁIS! DON BHEIRT AGAINN, NÓ DO DHUINE AMHÁIN AGAINN?

17

18

... IS MÓR AN CHONTÚIRT NA COMHCHEALGAIRÍ SEO. B'FHEARR DOM IMEACHT LIOM AS SEO GO BEO ...

FAOIN AM SEO, IS CINNTE GO BHFUIL CHEVKET TASTA CHOMH FADA LEO, AGUS CEAPFAIDH SIAD GO RAIBH MISE AG SPIAIREACHT ORTHU, AGUS TIOCFAIDH SIAD AR MO THÓIR.

19

STOP! NACH BHFUIL A FHIOS AGAT NACH BHFUIL CEAD AMACH SAN OÍCHE I RÓDAS?

AISTEACH ... GABHADH AN FEAR SEO CHEANA, UAIR AN CHLOIG Ó SHIN! ACH ...

... AN UAIR SIN ... BHÍ SÉ GLÉASTA MAR THURCACH!

DE RÉIR DO CHUID PÁIPÉAR, IS AS MÁLTA THÚ. NÍL DO CHÁS AN-SOILÉIR. CAITHFIDH TÚ TEACHT IN ÉINEACHT LINN ...

TÁ NA TURCAIGH AN-GHNÍOMHACH ANSEO I RÓDAS FAOI LÁTHAIR ... TÁ FAITÍOS ORAINN GO BHFUIL UISCE FAOI THALAMH AR BUN ACU.

SEO É OIFIG GHARDA AN CHUAIN. FÁGFAIMID I LÁMHA AN CARABINIERI THÚ.*

DÁ MBEADH A FHIOS AGAT NA RUDAÍ A RINNE DO CHAIRDE SA CHABHLACH LIOMSA ...

* PÓILÍNÍ ARMÁILTE NA HIODÁILE.

20

21

NÍL A FHIOS AGAT CÉ HÉ AN FEAR SEO A D'ÉALAIGH UAIBH? BHUEL, INSEOIDH MISE DUIT É! TIMUR CHEVKET - DUINE DE NA CEANNAIRÍ AR AN NGLUAISEACHT PAN-TURCACH, IARCHOIRNÉAL IN ARM NA TUIRCE SAN ALBÁIN CARA LE HENVER PAISEÁ, AGUS NAMHAID DON GHINEARÁL KEMAL PAISEÁ ...

... AGUS CAITHFIMIDNE, IODÁLAIGH, CABHRÚ LEIS CUR IN AGHAIDH NA SASANACH IS NA BHFRANCACH SA TUIRC! ... ACH ...

... CAD ATÁ AR SIÚL AIGE ANSEO I RÓDAS? AGUS CÉN FÁTH A BHFUIL SÉ AG TAISTEAL FAOINA AINM FÉIN? SHÍLFEÁ GO MBEADH SÉ SIN RÓCHONTÚIRTEACH DO RÉABHLÓIDÍ MAR É ...

LE DO CHEAD?

HEAH?

A CHAPTAEIN, TÁ PATRÓL DE CHUID AN CHABHLAIGH RÍOGA TAR ÉIS TEACHT AR AN BPRÍOSÚNACH A D'ÉALAIGH INNIU: TIMUR CHEVKET!

MUISE, NÍ FÉIDIR GUR TÚ ATÁ ANN! NÍ FHACA MÉ THÚ LE HAOIS GADHAIR! CÉN CHAOI A BHFUIL TÚ, A SORRENTINO?

CÉ?...

CORTO MALTESE?

22

23

NÍOR CHAILL TÚ RIAMH É, A CHOMRÁDAÍ!!! ACH CÉN CHAOI A DTARLAÍONN SÉ GO GCEAPANN DAOINE GUR TÚ CHEVKET?

TARLAÍONN NA RUDAÍ SEO. ACH, NÍL AITHNE AGAM AR CHEVKET / NÍL A FHIOS AGAM CÉ HÉ FÉIN NÁ CAD ATÁ UAIDH. CHUALA MÉ SCÉALTA FAOI, ACH I NDÁIRÍRE, NÍL AON BHAINT AGAM LEIS/

TÁ GACH UILE DHUINE AG CAINT AR AN CHEVKET SEO, ACH NÍL GRIANGHRAF FÉIN AGAINN DE ... AGUS ...

TÁ TÚ AG IARRAIDH PICTIÚR DÍOM?

NÁ BÍ AG MAGADH FÚM, A CHORTO. NÁ DEARMAD GUR CAPTAEN MÉ SNA CARIBINIERI. NÍ FÉIDIR LIOM NEAMHAIRD A DHÉANAMH DE MO DHUALGAS MAR GHEALL AR CHAIRDEAS/

CAIRDEAS/?/ SIN FOCAL A CHUIREANN IMNÍ ORM. NÍ RUD ÉASCA É AN CAIRDEAS, GO HÁIRITHE I DO CHÁS-SA. A SORRENTINO, NÍ MISE CHEVKET/

CREIDIM THÚ, A CHORTO, ACH SA CHÁS SEO, NÍL AN DARA ROGHA AGAM. SCRÍOBHFAIDH MÉ LITIR DUIT A CHEADÓIDH DUIT TAISTEAL I RÓDAS ... ACH NÁ FÁG AN T-OILEÁN.

A CHORTO, AN ÓLFAIDH TÚ BRAON CAIFÉ?

GO RAIBH MAITH AGAT. DUINE AR BITH AR MO THÓIR?

DEORAÍ.

AG SÚIL LE DUINE ÉIGIN?

NÍ RAIBH ... ACH NÍ BHEADH A FHIOS AGAT RIAMH. ANOCHT, CASADH DAOINE DEASA ORM ... TURCAIGH!

AGUS CASADH SEANCHARA ORM ...

Á! FEAR NÓ BEAN?

25

26

TÁ DO BHEATHA I MBAOL. ACH, AISTEACH GO LEOR, SHÍLFEÁ GO MARAÍONN TÚ TÚ FÉIN GAN LÁMH A CHUR I DO BHÁS!!!

AMHAIL IS GUR MHARAIGH TÚ DO PHICTIÚR FÉIN — NAIRCISEAS NUA!

AGUS ANSIN, NUAIR A AIMSEOIDH TÚ AN RUD A BHFUIL TÚ AR A THÓIR, CAILLFIDH TÚ ARÍS É ...

MUISE, NACH AGAT ATÁ NA DEA-SCÉALTA DOM INNIU! NÍOR BAISTEADH CASANDRA ORT GAN CHÚIS!

TÁ IMNÍ ORT?

NÍL A FHIOS AGAM.

28

VORDER ASIEN
(BACTRIANA) KYSYL
TIEFLAND TURAN
BUCHA
AMU DARIA
GUI SI a TBV

TYPES DES RACES

TCHERKESSE
MUSULMAN SUNNITE

MINGRÉLIEN CHRÉT. REL. GRECQ

TATAR SUNNITE

GÉORGIEN CHR.

ARMÉNIEN CHR.

CAUCASIENNES. D'APRÈS UN CROQUIS DU PRINCE GAGARINE

KURDE AD. DU DIABLE

TATAR CHÉITE

INDIEN PARSI

LÈSGUIN CHÉITE

COSAQUE DU TEREK CHR.

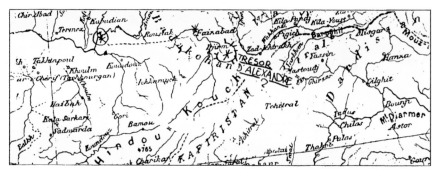

TÁ GO MAITH ... LÉIFIMÍS LITIR EDWARD TRELAWNY. "...TÁIM CHOMH BRÉAN DE BHYRON IS ATÁ SEISEAN DÍOMSA. NUAIR A BHFAIGHIDH SÉ BÁS, TABHARFAIDH MÉ LIOM A LÁMHSCRÍBHINN Ó MHISSOLONGHI, GO TIGH TITA VENNI I RÓDAS..."

"...Ó BHÁSAIGH SHELLEY, TÁIM TRÍNA CHÉILE, NÍ CHUIRIM SPÉIS IN AON CHEO, I MO CHUID LÉARSCÁILEANNA, I LÁMHSCRÍBHINN BHYRON NÁ SNA LEIDEANNA A CHABHRÓDH LIOM TEACHT AR AN "ÓR MÓR". MURAR ÉIRIGH LIOMSA TEACHT AIR, B'FHÉIDIR GO N-ÉIREODH LEIS AN TÉ A THAGANN AR NA CÁIPÉISÍ SEO."

AN T-ÓR MÓR? TAISPEÁNANN NA CROSÓGA BEAGA AR AN LÉARSCÁIL AN BÓTHAR A GHABH ALASTAR NA MACADÓINE!

B'FHÉIDIR GURB IN É AN BÓTHAR ATÁ Á MHOLADH AG TRELAWNY.

Maison Dorée ?
Samarcande
Monts Bolor
Hissar
Amu Deria
Grande Boukharie
Balk Bactriane)

BHUEL? BHFUIL TÚ AG DUL AG FANACHT AMUIGH ANSIN AG FAIRE ORM? TAR ISTEACH, A IBAHIYAH!

D'ÉIRIGH LEAT? FUAIR TÚ AN RUD A BHÍ UAIT?

FUAIR, BHÍ AN TREOIR AN-SOILÉIR. NÍOR LEAN DUINE AR BITH THÚ?

NÍOR LEAN.

GO MAITH, IS COSÚIL GO BHFUILIM SÁITE I GCOMHCHEILG ÉIGIN LE NÁISIÚNAITHE TURCACHA!

TÁ TÚ AG MAGADH FÚM?

INIS DOM, A IBAHIYAH, AN BHFUIL EOLAS AR BITH AGAT AR DHUINE DEN AINM CHEVKET?

NÁ HABAIR LIOM GUR CASADH É SIN ORT?

BEAGNACH!

DUINE CONTÚIRTEACH É.

NÍOR SHÍL MÉ GO RAIBH SÉ I RÓDAS. IS BEAG DUINE A CHONAIC É LENA SHÚILE CINN. RÉABHLÓIDÍ GAIRMIÚIL ATÁ ANN ... SÍLIM GUR SA TSEOIRSIA A RUGADH É ... RINNE SÉ A SHEIRBHÍS MHÍLEATA IN ARM NA TUIRCE, AGUS RINNE SÉ CAIRDEAS LE HENVER PAISEÁ ...

GHLAC SÉ PÁIRT I 1920, SA CHOMHDHÁIL D'FHUASCAILT NA BPOBAL FAOI SMACHT COILÍNEACH, I GCUIDEACHTA RADEK, BELA KUN, ZINOVIEV AGUS JOHN REED – AR CARA LIOM FÉIN É ...

Ó, SEA, JOHN REED...

DUINE MAITH É, MAR SIN.

NÍ HEA / TAR ÉIS PÁIRT A GHLACADH SA CHOMHDHÁIL, BHÍ SÉ CEAPTHA MOSLAMAIGH NA HÁISE LÁIR A GHRÍOSADH IN AGHAIDH SHASANA, CHUAIGH CHEVKET I GCOMHAR LE HENVER, AGUS BHUNAIGH SIAD AN GHLUAISEACHT NÁISIÚNACH PHAN-TURCACH ...

AGUS ANOIS TÁ SIAD AG ÉIRÍ AMACH IN AGHAIDH AN KOMINTERN / ... ACH NÍ BHAINEANN SIN LINNE...

BEIDH DEACRACHT AGAT AN CHUID SIN DEN ÁISE A THRASNÚ ANOIS. BEIDH IDIR NÁISIÚNAITHE, BHOILSÉIVIGH, ROBÁLAITHE, AGUS ANTOISCIGH CHREIDIMH ...

... AG IARRAIDH THÚ A STOPADH.

AGUS B'FHÉIDIR GO MBEADH AN CEART ACU / ACH, AR DEIREADH THIAR, CÉN FÁTH A MBEADH AN CEART AG DAOINE EILE I GCÓNAÍ?

33

CUIREANN TÚ AN IOMARCA CEISTEANNA ORT FÉIN!

NÍLIM CHOMH SAOR Ó SCRUPALL COINSIASA IS ATÁ TUSA!

NÓ B'FHÉIDIR NACH BHFUIL ANSIN ACH CUR I GCÉILL!

IMEOIDH MÉ MAR A THÁINIG MÉ...

CHUIR MÉ RUD ÉIGIN I DO CHUNTAS BAINC. FEICFIDH MÉ GO LUATH THÚ, A CHOMRÁDAÍ!

NUAIR A BHEIDH TÚ SA CHILIC, AIMSIGH SCOIL NA NDEIRBHÍSEACH IN ADANA ...

... CUIR THÚ FÉIN IN AITHNE LEIS AN SUAITHEANTAS SEO DE SHALAIDÍN, AGUS CABHRÓIDH SIAD LEAT DUL THAR AN TEORAINN. GO N-ÉIRÍ LEAT, A CHORTO.

CUIR SCÉALA CHUIG DO DHEARTHÁIR, AGUS ABAIR LEIS AN BÁD A RÉITEACH.

BHFUIL TÚ DÁIRÍRE AG IMEACHT?

TÁ TURAS CONTÚIRTEACH AMACH ROMHAT, A CHORTO. BEIDH DO CHOSÁN LÁN LE BAISTÍ AGUS LE DÍOMÁ, AGUS BEIDH TÚ I D'ÚDAR BRÓIN AG AN TÉ A CHASFAR ORT ...

BÍ AIREACH. TÍR MHIOTASACH ATÁ SA CHOILCÍS, AGUS BHÍ UAIGNEAS AGUS DÍOMÁ AR IASÓN FÉIN I NDEIREADH AN AISTIR.

IS MAITH AN SCÉALA NACH MISE IASÓN.

DHÁ LÁ INA DHIAIDH SIN ...

TÁ AN T-ANCAIRE CURTHA AGAM...

... TÁIMID TAGTHA SLÁN!

MURA MBEIFEÁ ANN LE HÍ A CHOINNEÁIL, BHEADH SÍ BÁITE AR AN GCARRAIG.

MAIDIR LIBHSE, TÚ FÉIN IS DO DHEIRFIÚR, IS CONTÚIRTEACH AN BHEIRT SIBH ...

... IN AINM DÉ, CEANNAIGH INNEALL.

CUIMHNEOIDH MÉ AIR, A CHORTO!

41

ACH CÉ HÉ AN CHEVKET SEO ...

... A BHFUILIM CHOMH COSÚIL LEIS? SEANS GO BHFUIL NA TURCAIGH SIN AR MO THÓIR FAOIN AM SEO!

AISTEACH, SHÍLFEÁ GO MBEADH AN T-ÓGÁNACH ...

... TAGTHA AR AIS FAOIN AM SEO!

42

43

44

45

46

48

49

53

TÁ AN CLOGAD SIN AISTEACH ORT...

NACH BHFUIL A FHIOS AGAM É!... ACH MURACH É ...

... NÍ BHEINN IN ANN DUL I NGANFHIOS I MEASC NA SAIGHDIÚIRÍ TURCACHA...

CÉN CHAOI A DTIOCFAIMID AS SEO ANOIS?

NÍL A FHIOS AGAM / TIOCFAIMID AR BHEALACH ÉIGIN.

DÁIRÍRE?

CINNTE... NÓ TIOCFAIDH DEIREADH LENÁR SCÉAL.

CÉN SCÉAL?

AN SCÉAL S'AGAINNE / TÁ SCEANNAIRE TÓGTHA AGAINN, A MHAISÍNGHUNNA, AGUS DUINE DÁ SCUID PRÍOSÚNACH.

HMMM ...

HÓRA / SIBHSE THÍOS ANSIN ... TÁ BHUR SCEANNAIRE AGAINN. MÁ TÁ SIBH AG IARRAIDH ...

55

56

SIBH A MHARÚ!

NÍ BHEIDH SÉ ÉASCA!

A NAIRCISIS, CAITHFEAR GNÍOMHÚ. COINNEOIDH MISE IAD LEIS AN MEAISÍNGHUNNA FAD IS A THÉANN TUSA AG IARRAIDH CÚNAIMH.

MISE?

MÁ DHÉANAIM É SIN NÍ MHAITHFIDH MO DHEIRFIÚR DOM GO DEO É.

B'FHÉIDIR NACH MAITHFIDH, ACH TUIGFIDH SÍ. CHAITHFEADH SÉ GO MBÍONN ...

... PATRÓIL FHRANCACHA AG DUL THAR BRÁID AR BHÓTHAR NA CILICE...

57

ANOIS! IMIGH GO BEO! A NAIRCISIS, DÉAN DEIFIR !!!

RATTTRATTAT!
RATTTRATTTATTTRAT!
RATTTRRRRAT!

CUIRFIDH SÉ SEO MÚINEADH ORTHU !

A THIMUR CHEVKET, NACH BHFUIL CUIMHNE AR BITH AGAT ORM?

IS MISE FARID. BHÍ MÉ I DO CHUIDEACHTA LE LINN CHÚLÚ AN 7ú HAIRM, SA TSIRIA. NACH CUIMHIN LEAT? ALEPO? DEIREADH FÓMHAIR 1918?

CHABHRAIGH MÉ LEAT AN T-ÓRCHISTE A THÓGÁIL AS BANC ALEPO. AGUS AN TAIRMÉINEACH MNÁ SIN A FHUADACH.

TÁ DUL AMÚ ORT, A FHARID, NÍL AITHNE AGAM AR AN CHEVKET SEO ... AGUS TÁ SÉ AG TOSAÍ AG CUR AS DOM ANOIS!

ACH?

CAD ATÁ I GCEIST AGAT?
... TÁ TÚ AG MAGADH FÚM?

NÍL!

Ó THÁINIG MÉ GO DTÍ AN TAOBH SEO
TÍRE TÁ AN TAIBHSE SIN AR MO SHÁLA ...
NÍL AITHNE AR BITH AGAM AR AN BHFEAR,
NÍ FHACA MÉ RIAMH É, AGUS NÍL AON
FHONN ORM É A FHEICEÁIL.
DEIRTEAR NACH
BHFUIL SÉ ÁDHÚIL
CASADH LE DO
LEATHCHEANN
FÉIN.

BHFUIL TÚ AG RÁ
... NACH TÚ TIMUR
CHEVKET?
DOCHREIDTE!

ACH
FÍOR!

ANOIS ... INIS DOM,
A FHARID, AN BHFUIL
SMACHT AR BITH
AGAT AR DO
CHUID FEAR?

IS AR
ÉIGEAN É,
AGUS ANOIS
ACH GO
HÁIRITHE.

IS CINNTE GO BHFUIL CEANNAIRE NUA
TOFA ACU ... AGUS TÁ AN BHEAN
SIN ACU.

SEA ... MARIANNE. NÍ DÓIGH
LIOM GO NDÉANFAIDH SIAD
AON DOCHAR DI ...

NÍL AITHNE
AGATSA
ORTHU!!!

DÉANFAIDH SIAD RUD AR BITH LE ...

BANG!

SIN É ... TÁ AN CUNÚS SIN CURTHA DEN SAOL. NÍ CHUIRFIDH SÉ AS DO DHUINE AR BITH NÍOS MÓ!

D'FHULAING MÉ GO LEOR AGUS MÉ I MO PHRÍOSÚNACH AIGE. AGUS D'FHULAING MARIANNE NÍOS MÓ FÓS.

BHÍ FUATH CHOMH MÓR SIN AGAT DÓ ?

BHÍ, BHÍ MÉ FÉIN IS MARIANNE I GCOMPÁNTAS AISTEOIRÍ A RINNE SEÓNNA TAOBH THIAR DE NA LÍNTE. TAR ÉIS AN CHOGAIDH, LEANAMAR ORAINN DE NA SEÓNNA, MAR CHAITHEAMH AIMSIRE DO NA DAOINE ÓGA SNA CEANTAIR GHAFA ...

... ACH NUAIR A THÁNGAMAR I DTÍR ANSEO SA TUIRC, GHABH NA TRÉIGTHEOIRÍ AIRM SIN MUID ... AGUS Ó SHIN ...

... NÍ BHFUAIREAMAR LÁ SUAIMHNIS.
BHÍ MÉ FÉIN AGUS MARIANNE CÉASTA AG
NA BITHIÚNAIGH ...TÁ AN GHRÁIN SHÍORAÍ
AGAM ORTHU/
MARÓIDH MÉ IAD/

... ACH CÉASFAIDH MÉ AR DTÚS IAD/
BRISFIDH MÉ NA LÁMHA IS NA COSA
ORTHU. CASFAIDH MÉ AN
MUINEÁL ORTHU/

GO RÉIDH ...
CABHRÓIMID LE
DO CHARA AR
DTÚS/

MO CHARA?/?
MARIANNE, MO CHARA?
AN BHITSEACH SIN?
BHFUIL TÚ AG MAGADH
FÚM?

... CAD ATÁ ORT?
DHÁ NÓIMÉAD Ó SHIN BHÍ
TÚ AG RÁ GUR FHULAING
MARIANNE ...

FULAINGT? AN
STRÍOPACH
SIN?...

NÁ CUIR AG GÁIRE MÉ.
DÚIRT MÉ GUR FHULAING
MARIANNE NÍOS MEASA
NÁ MAR A
D'FHULAING MISE
ACH NÍ DÚIRT MÉ
NÁR THAITIN
SIN LÉI ...

SÍLIM GO
BHFUIL TÚ AG
DUL THAR FÓIR
ANOIS/

AG DUL THAR FÓIR?
TÁ TÚ AG MAGADH
FÚM, A CHOMRÁDAÍ/
... IS AGAMSA ATÁ A
FHIOS CÉN SÓRT Í
AN RAICLEACH
SIN ...

NÍ RAIBH A FHIOS AICI A HÁIT RIAMH!!!

TÁ TÚ Á MASLÚ LE GACH UILE FHOCAL AS DO BHÉAL, NACH SCEAPANN TÚ GO BHFUIL SÉ SEO BEAGÁINÍN IOMARCACH?!?

A DHIABHAIL! RINNE MÉ DEARMAD ...

PANNNIIING!

CAD A THABHARFAIDH SIBH DÚINN MAR MHALAIRT AR AN MBEAN?

LIGFIMID DAOIBH IMEACHT SULA DTIOCFAIDH NA PATRÓIL FHRANCACHA AR AN LÁTHAIR ... AGUS NÁ DÉANAIGÍ DEARMAD ...

... LE TEACHT AS AN BPOLL INA BHFUIL SIBH, CAITHFIDH SIBH DUL THARAINN ... AGUS THAR AN MEAISÍNGHUNNA.

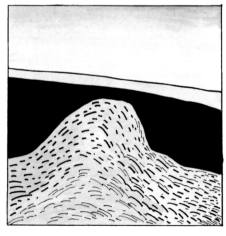

AGUS NÍ CABHAIR AR BITH DÚINN É GO BHFUIL TUSA LEONTA.

NÁ CORRÓDH DUINE AR BITH AGAIBH ...

A REISÍD... TAR ANSEO! TÁ SIAD AGAM!

BRAVO, A KHASSEM... MAITH THÚ!!!

AN TUSA A MHARAIGH AN CEANNAIRE?

MISE NÓ DUINE ÉIGIN EILE, NACH CUMA ...

TÁ SÉ MARBH AGUS SIN A BHFUIL!

65

B'FHÉIDIR GO BHFUIL AN CEART AGAT. MURA MBEIDH AN TÓRCHISTE ANN BEIDH MÉ IN ANN THÚ A MHARÚ NÍOS DEIREANAÍ.

BÍODH MUINÍN AGAT ASAM, AGUS DÉANFAIDH MÉ MO DHÍCHEALL DUIT. TÁ AN TÓRCHISTE I BHFOLACH GAR DO SAMARKAND.

CAITHFIDH MÉ CÚPLA LÁ A CHAITHEAMH IN ADANA ... FÉADFAIDH TÚ FANACHT ORM I VAN, GAR DO BHALLA SHÉMIRAMIS. CABHRÓIDH NA CÚPLA PUNT SEO LEAT.

REISÍD IS AINM DOM ... NÁ DÉAN DEARMAD!!!

NÍ DHÉANFAIDH, AGUS CUIMHNEODH TUSA AR M'AINMSE: CORTO MALTESE.

TÁ GO MAITH ... IMEOIMIS SULA DTIOCFAIDH NA FRANCAIGH!

66

AISTEOIR MÓR THÚ ... AGUS BRÉAGADÓIR! CHREID SIAD SCÉAL SIN AN ÓRCHISTE...

MAR A THARLAÍONN, IS FÍORSCÉAL ATÁ ANN - SIN, NÓ BEIMID I DTRIOBLÓID

ACH CÁ BHFUIL MARIANNE?

Ó, Í SIN!

A MHARIANNE! A MHARIANNE!

TIOCFAIDH TÚ UIRTHI FAOI SHAIGHDIÚIR ÉIGIN!

BHFUIL TÚ CRÍOCHNAITHE FÓS LEIS AN DROCH-CHAINT SIN?

NÍL!

BHÍ TÚ DO MO CHUARDACH, A DHUINE UASAIL?

67

IS MISE CORTO MALTESE.

Ú LA LA, SHÍLFEÁ GUR TEIDEAL É AR DHRÁMA!!

IS MISE EVELINE DE SABREVOIRE...

NUAIR A BHÍ AITHNE AGAM ORT, I LONDAIN PIERA ROVIGOTE A BHÍ ORT...

TÁ DO LADAR AGAT I NGACH UILE ÁIT, AGUS MÁ TÁ MÉ AG IARRAIDH EVELINE A THABHAIRT ORM FÉIN ...

CAD A BHAINEANN SÉ DUIT!

ÉIST LIOM. TÁIM LEONTA ...

A THIARCAIS, CAD A THARLA DÓ? CAD ATÁ ORT? AGUS TUSA, NÁ SEAS ANSIN! DÉAN RUD ÉIGIN!

NÍL TADA AIR ...

TADA?

68

70

71

CÉN GAISTE É SEO A BHFUILIM GAFA ANN?!?

TÁ SÉ IN AM AGAM TOSAÍ AG CUIMHNEAMH ORM FÉIN!

LEITHLEASACHT!!!

AN TURCACH SIN THÍOS ... NÁ CORRAIGH!

FAN NÓIMÉAD... NÍ TURCACH MÉ!

NÍOR THÁINIG TÚ AR AON GHRÉASACH SA CHEANTAR?

B'FHÉIDIR ...

ÉIRIGH AS, AGUS NÁ BÍ AG DÉANAMH AN GHARDA MHÓIR DÍOT FÉIN. /

TÁ DAOINE MARBHA, ''SA CHEANTAR''.

MHARAIGH SIAD A CHÉILE. CHOSAIN MÉ MÉ FÉIN, ACH NÍOR MHARAIGH MÉ DUINE AR BITH ... GO BHFIOS DOM /

HUMMM...

... CÉN HUMMM ATÁ ORT / MURA BHFUIL TÚ IN ANN CINNEADH A DHÉANAMH, LIG DOM LABHAIRT LE DO CHAPTAEN.

HÉ ... GO RÉIDH /

A JACQUES, TÁ AN ROBÁLAÍ SIN FARID AR DHUINE DE NA MAIRBH.

FARID? AN TRÉIGTHEOIR TURCACH?

TÁ PINGIN MHAITH AR A CHLOIGEANN SIÚD. MÁ FHÁGANN TÚ A BHÁS SIN AGAINNE, A CHORTO, GAN A INSINT DO GACH UILE DHUINE GO RAIBH TÚ FÉIN I LÁTHAIR ....

... LIGFIMID DUITSE IMEACHT AGUS COINNEOIMID AN LUACH SAOTHAIR ... CAD A DÉARFÁ LEIS SIN?

NACH BHFUIL IONAT ACH CUNÚS.

SEA, ACH CUNÚS SÁSTA NÓ CUNÚS MÍSHÁSTA?

NÍ RAIBH AON BHAINT AGAM LE BÁS FHARID, AGUS NÍ DÓIGH LIOM GO MBEIDH AN TÉ A MHARAIGH É AG IARRAIDH LUACH SAOTHAIR AIR ...

TÁ SÉ MARBH.

AH!

GO MAITH, FÉADFAIDH TÚ IMEACHT, A CHOMRÁDAÍ, ACH SEACHAIN BÓTHAR ADANA...

TÁ SÉ DUBH LE PATRÓIL FHRANCACHA. NÍ FHACAMAR DO CHARA GRÉAGACH, ACH ANSEO SA CHILIC, NÍ BHEIDH SAOL ÉASCA AIGE ... ADIEU!

A CHORTO MALTESE!

A NAIRCISIS? CAD A CHOINNIGH CHOMH FADA SEO THÚ?

CHUAIGH MÉ AR THÓIR NA BHFRANCACH, MAR A D'IARR TÚ ... ACH NÍOR THÁINIG MÉ ORTHU.

AH ... CASADH ORM IAD ... NÓ CASADH MISE ORTHUSAN!

AH!!!

CAD A THARLA? TÁ AN SASANACH ... SEÁN BUÍ ... MARBH ... AGUS MARAÍODH CEANNAIRE NA DTRÉIGTHEOIRÍ ... .

AH!

... CHOMH MAITH LE BEIRT DE NA TURCAIGH ... TÁ AN BHEAN, MARIANNE, IMITHE... BEAG NÁR CAILLEADH MUID FÉIN ... THUG MÉ UAIM CUID D'ÓRCHISTE HIPITÉISEACH ... AGUS DIABHAL MÓRÁN EILE ...

ACH, A NAIRCISIS, AN BHFUIL TÚ CEART GO LEOR?... NÍL TÚ AG RÁ MÓRÁN ...

NÍL TADA LE RÁ AGAM, TÁIM AG ÉISTEACHT LEAT. TÁ A FHIOS AGAT CÉN CHAOI A MBÍMIDNE, GRÉAGAIGH.

NÍL. NÍL A FHIOS AGAM CÉN CHAOI A MBÍONN SIBHSE, GRÉAGAIGH /... CÉN CHAOI A MBÍONN SIBH?

BHUEL ... BEAGÁINÍN MAR SIN.

BAH...

IN AINM DÉ, A CHORTO/ NÍ FÉIDIR TADA A RÁ LEAT...

A NAIRCISIS, CAITHFIMID SLÁN A FHÁGÁIL LE CHÉILE ANSEO. FILLFIDH TUSA AR RÓDAS, CAITHFIDH MISE COINNEÁIL ORM I M'AONAR.

RATTAT TUMBA! TUMBA-TATA!

TUMBARARA TATA TUMBAR RATAT!

CÉ THÚ FÉIN? CAD ATÁ UAIT?

ABAIR!

... TUMBARARATA TATUMBARATA TA!

AN GCEAPANN TÚ GO BHFUIL SÉ SIN SPIORADÁLTA 2/2

NÍL ANN ACH SIN. CUIR UAIT AN GUNNA.

AN AITHNÍONN TÚ AN COMHARTHA SEO?

SAILIDÍN!

TAR ISTEACH, A BHRÁTHAIR LIOM!

ANSIN ...

CAD A THUGANN GO DTÍ ÁR SCOIL THÚ?

CAITHFIDH MÉ DUL GO SAMARKAND, AGUS SÍLIM GO BHFÉADFADH SCOIL DEIRBHÍSEACH MAWLAWIYYAH CABHRÚ LIOM.

CÉ A THUG COMHARTHA SAILIDÍN DUIT?

DUINE DE BHUR SCUID BRÁTHAR, AGUS CARA DE MO CHUID, IBAHIYAH Ó RÓDAS.

83

AH, IBAHIYAH ... TÁ CUIMHNE MHAITH AGAM AIR. BHÍ SÉ GLANCHROÍOCH GEANMNAÍ SULAR CASADH ARD-BHANSAGART SIN NA TAHTAGI AIR ... ACH MAIDIR LEATSA, IS FADA AGUS IS CONTÚIRTEACH AN BÓTHAR É GO SAMARKAND ...

AN DUINE DE NA HAMHAIS SIN THÚ ATÁ AG TAOBHÚ LE HENVER BEY?

NÍ HEA.

TÁIM SA TÓIR AR ÓRCHISTE RÍ MÓR NA PEIRSE, CÍORAS ... ÓRCHISTE A CHUIR RÍ MÓR EILE I DTAISCE: ALASTAR NA MACADÓINE.

HA! HA! SIN CEANN MAITH HA! HA!

GO HIONDÚIL NÍ AR THÓIR ÓRCHISTÍ A THAGANN MUINTIR AN IARTHAIR ANSEO, ACH SA TÓIR AR ÍONGHLAINE SPIORADÁLTA. CAD IS FÉIDIR LINNE A DHÉANAMH DUITSE?

TÁ AN CEART AGAT ... CAITHFIDH MÉ CABHRÚ LE CARA LIOM.

AGUS CAD É AN SCÉAL CAIRDIS SEO?

IS Í AN FHÍRINNE Í. RINNE CARA LIOM RUD ÉIGIN AS BEALACH, AGUS TÁ SÉ I NGÉIBHEANN IN ÁIT...

... AR A DTUGTAR "TEACH ÓRGA SHAMARKAND" ...

PRÍOSÚN UAFÁSACH, NACH FÉIDIR ÉALÚ GO HÉASCA AS ...

... TÁ FIR BHRÚIDIÚLA Á GHARDÁIL AGUS IAD ...

... AG MARÚ ...

... AGUS AG CÉASADH GAN SOS ...

... AGUS NA BADHBHA ...

... AGUS NA FIR THINE AG GLANADH INA NDIAIDH...

A CHOLLACH!

IS SA PHRÍOSÚN SIN ATÁ MO CHARA RASPÚITÍN!

CAD AIR A BHFUIL TÚ AG BREATHNÚ?

TÁ CEAD AG AN gCAT BREATHNÚ AR AN RÍ, NACH BHFUIL!

ACH IS LIOMSA É SIN

DÚN É!

86

87

A BHRÉAGADÓIR BHRÉIN ... CHONAIC MÉ AG CAITHEAMH THÚ AGUS TÁ A FHIOS AGAM GO N-ÓLANN TÚ BEAG BEANN AR AN gCÓRÁN ... CÁ BHFUIL AN TOBAC?

FAOI MO RUGA GUÍ.

NÍ FÉIDIR MUINÍN A CHUR IONAT.... NÍL IONAT ACH FIMÍNEACH SANTACH – BHÍ TÚ AG IARRAIDH TOBAC A CHAITHEAMH I D'AONAR. COINNIGH ORT, MAR SIN! AR DO RUGA LEAT, TÁ SÉ IN AM!

CHAITHFEADH SÉ GO BHFUIL BEALACH ANN LE HÉALÚ AS AN IFRINN SEO ... BEALACH ÉIGIN SEACHAS CODLADH AGUS BRIONGLÓIDÍ...

AGUS CORTO MALTESE, CÁ BHFUIL SEISEAN ANOIS?

... SIN AN FÁTH GO DTUGTAR "TEACH ÓRGA SHAMARKAND" AIR, MAR NÍ FÉIDIR ÉALÚ ACH TRÍ BHRIONGLÓIDÍ ÓRGA HAISISE.

ACH CÉN CHAOI A MBAINEANN SÉ SIN LINNE?

TÁIM AG IARRAIDH DUL I DTEAGMHÁIL LE SCOIL DHEIRBHÍSEACH SHAMARKAND. D'FHÉADFAIDÍS SIÚD CABHRÚ LIOM MO CHARA A LIGEAN SAOR.

CAITHFIDH MÉ DUL I GCOMHAIRLE LEIS NA SEANÓIRÍ. BEIDH FREAGRA AGAT UAINN AMÁRACH. FÉADFAIDH TÚ CODLADH ANSEO ANOCHT. ACH, IDIR AN DÁ LINN, MÁS MIAN LEAT DUL AG DAMHSA INÁR GCUIDEACHTA ...

NÍ MIAN ... B'FHEARR LIOM GAN ... NÍ BHEINN IN ANN AIGE.

BHFUIL RUD ÉIGIN UAIT? D'FHÉADFAINN COMHLUADAR A CHOINNEÁIL LEAT – MÁS É SIN ATÁ UAIT?

GO RAIBH MAITH AGAT, NÍL TADA UAIM.

FÉADFAIDH TÚ GAL A CHAITHEAMH MÁ TÁ FONN ORT. TÁ HÚCA LE TAOBH NA LEAPA.

GO RAIBH MAITH AGAT. RACHAIDH MÉ A CHODLADH. OÍCHE MHAITH!

CAD ATÁ AG TARLÚ DOM? NÍOR CHUIMHNIGH MÉ RIAMH CHEANA AR NA MNÁ SIN AR FAD IN ÉINDÍ.

ACH CAD É SEO? TAR ISTEACH ...

BHÍ TÚ AG SÚIL LIOM?

CHEVKET!!!

NOLLAIG SHONA DUIT, A CHARA DHIL!

ACH NÍ FÉIDIR GUR TÚ CHEVKET?

CHEVKET?

TIMUR CHEVKET? DO LEATHCHEANN?

NÍ MISE CHEVKET ... IS MISE TUSA.

MÉ FÉIN? ... SEO É AN CHÉAD UAIR A ... SUIGH SÍOS!

AGUS CAD A THUGANN SNA BÓLAÍ SEO THÚ?

NÍL MÓRÁN IONTAIS ORT.

IONTAS? NÍOS MEASA NÁ SIN. TÁ FAITÍOS MO CHRAICINN ORM...ACH IS CINNTE GO NDÚISEOIDH MÉ.

NÍL SÉ CHOMH SIMPLÍ SIN!

CAD ATÁ I GCEIST AGAT?

SCÉAL FADA É.

CÉN DRÁMA É SEO AGAT DOM?

DRÁMA? BREATHNAIGH ORT FÉIN! TÁ TÚ CANTALACH ... FEARGACH ... TÁ DO CHOINSIAS AG CUR AS DUIT.

92

... DEIR DAOINE GO BHFUIL TÚ LEITHLEASACH, NACH BHFUIL TÚ SÁSTA A BHEITH PÁIRTEACH LE DAOINE, AGUS GO N-ÉALAÍONN TÚ ÓN BHFÍRINNE....

LÉIGH MÉ AM ÉIGIN FAOIN "DREOLÁN TEASPAIGH A LABHAIR", AGUS BHÍ DROCH-CHRÍOCH LEIS.

SÍLIM GUR LÉIGH MÉ FÉIN FAOI SIN IN ÁIT ÉIGIN FREISIN ...

GO HACHOMAIR, CUIRTEAR I DO LEITH NÁR CHOMHLÍON TÚ DO DHUALGAS MAR CHRÍOSTAÍ I LEITH DO MHUINTIRE, NÁ DO DHUALGAS MAR CHUMANNACH I LEITH NA SOCHAÍ. BHFUIL FREAGRA AGAT AIR SIN?

NÍ THABHARFAIDH MÉ FREAGRA ORT ANOCHT. AGUS, AR AON NÓS, TÁIM TUIRSEACH DÍOT, AGUS TÁ TÚ RÓFHIOSRACH!

TÁIM AG IMEACHT. NÍ FÉIDIR LABHAIRT LEAT INNIU. NÍL SA SOTAL AGUS DÁNACHT SIN AGAT ACH BEALACH LEIS AN BHFÍRINNE A CHEILT.

NÍ HANN DON FHÍRINNE!

HÉ ... TÁIM FIOSRACH.
AN TUSA A CHUAIGH
AMACH ANSIN ?

NÍ
MÉ.

AN TAIBHSE THÚ?

CÉN SÓRT
TAIBHSE ! ! !

SHÍL MÉ GO RAIBH TÚ
I SAMARKAND.

TÁ ...

... TÁIM ANN I GCÓNAÍ, ACH NÍ LIGEANN
TUSA MÉ RIAMH ISTEACH
I DO CHUID BRIONGLÓIDÍ -
ATÁ LÁN LE CAILÍNÍ
SLACHTMHARA
AGUS LE
HAIRGEAD
AGUS LE ...

NÍL NEART
AGAM AIR, BÍONN
BRIONGLÓIDÍ
AN-DIFRIÚIL AG AN
MBEIRT AGAINN.

ÉIST DO BHÉAL,
A BHRÉAGADÓIR!
DÉANANN
TÚ FEAR
MAITH
DÍOT FÉIN
ACH TUGANN
TÚ AIRE
MHAITH
DUIT
FÉIN
I GCÓNAÍ!

MAIDIR LIOMSA,
NÍ DHÉANAIM ACH
TROMLUÍ, AGUS -
MAR A FHEICEANN
TÚ - BÍONN ORM
MÉ FÉIN A
IARRAIDH
ISTEACH I
DO CHUID
BRIONGLÓIDÍ!

ACH TAGAIM IONTU I GCÓNAÍ AG AN DEIREADH. BHÍ CAILÍNÍ DEASA ANN, NACH RAIBH???

NÍ RAIBH, AR CHOR AR BITH!!!

...THÁINIG DUINE ÉIGIN CHUGAM – DUINE ÉIGIN A BHÍ LIGTHE I NDEARMAD AGAM LE FADA – LENA RÁ LIOM GO RAIBH MÉ BAILITHE AMÚ.

AH...

DUINE ÉIGIN A THUIG GO MAITH THÚ!

B'FHEARR DUIT FANACHT CIÚIN.

96

AGUS TADA DOMSA ... TADA ACH AN PLEOTA SEO DE PHEIRSEACH ... A LEITHÉID DE MHÍ-ÁDH!!!

CAD A THARLA DON AMADÁN EILE SIN, CORTO MALTESE?

... DÉANFAIDH MÉ CODLADH BEAG ... ÉALÓIDH MÉ ÓN NGEALTACHAS AGUS Ó NA COIREANNA A MHILL M'ÓIGE ORM .. AH ...

NACH DEAS AN T-ABAIRTÍN É SIN? CUIMHNEOIDH MÉ AIR ARÍS, AGUS ÚSÁIDFIDH MÉ É NUAIR A BHEIDH MÉ I GCOMHLUADAR LE BEAN CHLISTE DHATHÚIL ÉIGIN AS MEIRICEÁ, AH ... A RASPÚITÍN BHREÁ, A RASPÚITÍN ... ... CÉN CHAOI A BHFÉADFAINN MAIREACHTÁIL GAN THÚ!

... AGUS CAD A THABHARFADH CORTO MALTESE LE GO MBEADH MO STÍLSE AIGE LE GO BHFAIGHEADH SÉ A BHEALACH LE BEAN ÓG ÉIGIN ... SRANNASRANNASRANNA ... CAD A THABHARFADH SÉ ... SRANNASRANNA ...

RON! RON! RON! RON!

98

BHÍ TÚ AG CAINT, ANSIN GO TOBANN THIT TÚ I DO CHODLADH AR FEADH CÚPLA SOICIND. CÉ THÚ FÉIN? AGUS CAD ATÁ UAIT ANSEO?

NÍ FÉIDIR É!

ACH BHÍ AN COMHRÁ SEO AGAINN CHEANA / AR AON NÓS, TÁ BHUR GCÚNAMH UAIM LE CABHRÚ LIOM DUINE DE MO CHAIRDE A THABHAIRT AS AN BPRÍOSÚN I SAMARKAND.

TÁ TÚ DO DO CHUR FÉIN I MBAOL. TÁ NA COIRDÍNIGH AGUS NA HAIRMÉINIGH AR NA BÓITHRE ...

... AGUS DAOINE A THUGANN NÁISIÚNAITHE ORTHU FÉIN.

AN DREAM IS CONTÚIRTÍ, SIN IAD LUCHT AN FHORÁIS DE GACH UILE CHINEÁL ATÁ AG CUR NA DTRAIDISIÚN TRÍNA CHÉILE...

... NA HAIRMÉINIGH, ACH GO HÁIRITHE.

99

NA HAIRMÉINIGH? SEANS GO BHFUIL CÚIS MHAITH ACU SIN LE TRIOBLÓID A THOSÚ ... ACH, FÁGAIMIS SIN GO FÓILL. NÍLIM AG DUL AG ARGÓINT LEAT... CABHRAIGH LIOM DUL GO SAMARKAND.

BHUEL? AN RAIBH AN CEART AGAM?

BHÍ!!!!

IS É ATÁ ANN !!! SIN É AN CHEVKET SIN A D'IMIR ÁR AR ÁR MUINTIR.

TÁ AN T-ÁDH LINN: BAINIMIS DÍOLTAS AMACH.

... ACH M'AINM A LUA AGUS GHEOBHAIDH TÚ CÚNAMH ... É SIÚD A THÉANN I MBAOL LE CABHRÚ LENA CHARA, TÁ MEAS AIR, FIÚ MÁS CRÍOSTAÍ É ...

TÁ ÁR N-IMAM BÁSAITHE. NÍL AON MHILLEÁN ORTSA ... ACH IS LINN FÉIN AMHÁIN A BHAINEANN AN DOILÍOS SEO ... IMEOIDH TÚ LE BREACADH AN LAE!

CÉ A BHEADH AG IARRAIDH DOCHAR A DHÉANAMH DAOIBH?

NÍ HÉ AN CHÉAD UAIR É.

NÁISIÚNAITHE AIRMÉINEACHA, B'FHÉIDIR, CEANNAIRCIGH CHOIRDÍNEACHA, NÓ DAONLATHAITHE TURCACHA. TÁ FIÚ GLUAISEACHT NÁISIÚNACH TURCACH AN GHINEARÁIL MUSTAFA ANUAS ORAINN.

NÍ MIAN LIOM TEACHT ROMHAT, ACH AN BHFUIL EOLAS AGAT AR AN BHFEAR SEO, CHEVKET?

TÁ. ... CARA É LEIS AN NGINEARÁL ENVER PAISEÁ ... TÁ SÉ ANOIS I SAMARKAND. CÉN FÁTH?

FÁTH AR BITH....

...TADA AR CHOR AR BITH ... NÍ RAIBH ANN ACH CEIST ...

NÍ THUIGIM THÚ.

102

103

104

106

AGUS TUSA, AN AIRÍONN TÚ NÍOS FEARR TAR ÉIS AN MÉID SIN?

TÁ FUATH AGAM DUIT!

NÍOR CHAILL TÚ RIAMH É!

AITHNÍONN TÚ MÉ?

AITHNÍONN.

D'FHÁG TÚ AN VEINÉIS FAOI DHEIFIR THART AR ... THART AR AN MBLIAIN 1917?

CÉN CHAOI AR AITHIN TÚ MÉ?

NÍ RAIBH SÉ DEACAIR. BÍONN TÚ LÁN DE SHEAFÓID I GCÓNAÍ!!!

107

108

HÓRA!

TUSA! ... CÉ THÚ FÉIN AGUS CÁ BHFUIL TÚ AG DUL?

TÁIM AG DUL GO VAN!

VAN? TÁ TÚ AG MAGADH FÚINN ... TÁ NA REIBILIÚNAITHE COIRDÍNEACHA AGUS ARM NA MBOILSÉIVEACH I VAN. TÁ AN RÉIGIÚN AR FAD FAOINA SMACHT.

MAITH GO LEOR ... ACH NÍ TURCACH MISE, NÁ COIRDÍNEACH NÁ FIÚ RÚISEACH!

MAR SIN, NÍ CHUIRFIDH DO BHÁS AS DO DHUINE AR BITH.

CHEVKET!!!

109

110

TÁ TÚ LIOM, MAR SIN?

FÉADFAIDH TÚ BRATH ORMSA, A CHEVKET.

GO MAITH, NÁ DEARMAD, SOCRÓFAR GACH RUD EADRAINN I SAMARKAND!

MÁ CHOINNÍM ORM AG CEANNACH MO SHAOIRSE LEIS AN ÓRCHISTE ... NÍ FHANFAIDH PINGIN AGAM.

ACH TAGANN AN TIMUR CHEVKET SEO I GCABHAIR ORM GACH AON UAIR A MBÍM I BPONC.

111

113

114

ACH DEIREADH MO MHAMA I gCÓNAÍ FÚM GO RAIBH AN IOMARCA FAID LE MO GHOB.

CÉN CHAOI A MBREATHNAÍM?

... NÍL CAILLEADH AR BITH ORM, AN BHFUIL?

HMMM, TÁ DO CHÓTA GO DEAS BOG. AH, A CHORTO. A CHORTO, A STÓR !!!

CUIR RUD ÉIGIN AR DO CHUID GRUAIGE, A MHARIANNE. NÁ CUIR CATHÚ AR NA FIR !

CÉ A CHEAPFADH É - TÁ ÉAD ORT !

TÁ DUL AMÚ ORT, A MHARIANNE, NÍL ÉAD AR BITH ORM.

NÍ DOCHAR AR BITH A BHEITH IN ÉAD LE BEAN GHRÁMHAR !

CAD ATÁ ORT, A STÓR?

AIRÍM GO BHFUIL DUINE ÉIGIN AG FAIRE ORM.

AN MAITH LEAT DRÁMAÍ KARAGÖZ?

NÍL A FHIOS AGAM FÓS!?!

SIN É BEBERUHI – AN T-AMADÁN!

CLAP!
CLAP!
CLAP!

CLAP!
CLAP!

117

HÉ, HÉ, HÉ!

AISTEACH, CUIREANN AN PUIPÉAD SIN DUINE ÉIGIN I GCUIMHNE DOM.

HÉ, HÉ, HÉ, HÉ, HÉ, HÉ.

HÉ, HÉ, HÉ, B'FHEARR LIOM A BHEITH I NGÉIBHEANN NÁ A BHEITH I DO CHUIDEACHTA-SA, A NIGAR NA DRÚISE!

AGUS MÉ FÁGTHA LE LOBHADH SA PHRIOSÚN GRÁNNA SIN I SAMARKAND...

HEAH? CAD A DÚIRT TÚ? HEAH?

CARA I MEASC AN LUCHT FÉACHANA?

... AH ... CÉ NACH N-AITHNÍM É, IS CARA LIOM É MAR SIN FÉIN. HÉ, HÉ, HÉ.

NÍL A FHIOS AGAM CÉN FÁTH, ACH NÍLIM AR MO CHOMPORD ANSEO.

HÉ, HÉ, HÉ ... TÁ TÚ AG IARRAIDH DUL I BHFOLACH ORM ...

CHAITHFEADH SÉ GURB É SIN ÁBHAR AN DRÁMA SEO ...

NACH MBÍONN COINSIAS GLAN AG AN TÉ A BHÍONN AG DUL I BHFOLACH!

119

HÉ, HÉ, HÉ!
TÁ AN CEART
AG MO
CHAIRDE...

... NACH É SIN
CORTO
MALTESE?

CLAP!
CLAP!
CLAP!

TÁ CORTO MALTESE,
AN MAIRNÉALACH, IN BHUR
MEASC.

CLAP!
CLAP!
CLAP!
CLAP!

ACH CAD IS BRÍ
LEIS SEO?
NÍ AITHNÍM
AN PUIPÉAD SIN.

CLAP! CLAP!
CLAP! CLAP!

CLAP!

GABH MO
LEITHSCÉAL, LIG
AMACH MÉ ...

CLAP!
CLAP!

CLAP!

CLAP!

CLAP!

FAN
NÓIMÉAD.

123

TÁ EOCHAIR NA BHFLAITHEAS AGAM.

TÁ NA DOIRSE ARABACHA I gCRUTH GLAISE AGUS IS Í EOCHAIR NA BHFLAITHEAS A OSCLAÍONN IAD.

TÁ GACH UILE RUD INDÉANTA ANSEO, TÁ GACH RUD GO HÁLAINN. CAD A DÉARFÁ?

A RASPÚITÍN, NÍ FÉIDIR FÉILEACÁN A DHÉANAMH DE CHIARÓG.

BEAGÁINÍN AOIBHNIS, NÍL TÚ IN ANN AIGE, AN BHFUIL?!?

MÁS É SIN ATÁ UAIT...

TAOBH THIAR DEN GHEALACH SIN, TÁ DUINE ÉIGIN A AITHNÍONN TÚ.

ACH ... NÍ FÉIDIR É.

A PHANDÓRA!?!

ACH ... CÁ BHFUIL MÉ?

FAOI DHEIREADH,
TÁ TÚ I DO DHÚISEACHT.
FUAIR TÚ DROCHBHUILLE.
BHÍ TÚ I DO CHODLADH
Ó SHIN.

ACH CÁ BHFUIL MÉ?
AGUS TUSA, CÉ
THÚ FÉIN?

IS SAIGHDIÚIRÍ
COIRDÍNEACHA MUID,
AGUS TÁIMID LE CASADH
LEIS AN GCEANNFORT
CHEVKET I VAN!

CÉN CHAOI AR
THARLA SÉ GO
BHFUILIM ANSEO?

IS É AN
CEANNFORT BAHIAR
A THUG ANSEO
THÚ.

D'ORDAIGH
SÉ DÚINN THÚ A
THABHAIRT GO
VAN.

CHAITHFEADH SÉ GUR
DUINE TÁBHACHTACH
THÚ MÁ D'ORDAIGH AN
TURCACH BRÉAN SIN
DÚINN CAITHEAMH
GO MAITH LEAT.

CARA LEIS
THÚ?

NÍ HEA!

GO MAITH, MAR NÍ
MAITH LINN NA
TURCAIGH, AGUS NÍ
MAITH LINN AN
BAHIAR SIN, ACH
GO HÁIRITHE ...

127

128

CAD ATÁ AG TARLÚ DON FHEAR ÓG?

IS ADHRAITHEOIR É DE CHUID AN DIABHAIL ...

... AGUS DE CHUID AN CHIORCAIL ... MAR A FHEICEANN TÚ ... TÁ MEARBHALL ÉIGIN AIR NACH LIGEANN DÓ TEACHT AMACH AS AN GCIORCAL, AGUS TÁ AN DREAM SEO AG BAINT AS MAR NACH BHFUIL SÉ IN ANN É FÉIN A CHOSAINT...

CAITHFEAR DRAÍOCHT NA HIMLÍNE A BHRISEADH IONAS GUR FÉIDIR LEIS ÉALÚ.

TÁ EOLAS MAITH AGAT AR ADHRAITHEOIRÍ SEO AN DIABHAIL?

IS DUINE DÍOBH MÉ.

NÓ LE BHEITH CRUINN FAOI, BHÍ MÉ AR DHUINE DÍOBH. ANSIN, THARLA RUDAÍ AGUS D'ATHRAIGH MÉ M'INTINN.

AGUS CÉ HIAD NA YEZIDIGH SEO? CAD ATÁ UATHU?

COSÚIL LE GACH DUINE EILE: A BHEITH NÍOS FEARR ...

NÍL SIAD NÍOS MEASA NÁ DREAM AR BITH EILE.

CUIRFIDH MÉ AN SAGART IS ÓIGE ATÁ AGAINN IN AITHNE DUIT.

CAD ATÁ UAIT, A ZORAH? TÁ SÉ IN AM STAIDÉIR: NÍL AN PHÉACÓG AG IARRAIDH GO GCUIRFIDH TÚ ISTEACH AIR.

CAITHFIDH AN STRAINSÉIR SEO A SCÍTH A LIGEAN AGUS NÍL EOLAS AIGE AR AN GCEANTAR.

CÉN CHAOI AR FÉIDIR LINN CABHRÚ LEIS?

CAITHFIDH MÉ DUL THAR AN TEORAINN, AGUS AN ASARBAISEÁIN AGUS AN PHEIRS A THRASNÚ, LE TEACHT GO SAMARKAND.

TUIGIM.

IARRAIMIS CÚNAMH ÓN GCIORCAL AGUS ÓN BPÉACÓG ÓG ...

MAITH DOM É MÁ LABHRAÍM LEAT AS D'AINM, ACH TÁ DO CHÚNAMH AG TEASTÁIL UAINN, A SHÉATÁIN ...

A SHÉATÁIN...
A SHÉATÁIN...

A SHÉATÁIN!

NÍ FÉIDIR LINN A AINM A THABHAIRT AIR ACH UAIR SA BHLIAIN – TÁ AN T-ÁDH LEAT, A MHAIRNÉALAIGH.

ACH TÁ EOLAS AGATSA AR SHÉATÁN. CHUIR TÚ AITHNE AIR SAN AFRAIC FAOIN AINM SAMAËL, AGUS CASFAIDH TÚ AIR ARÍS AR DO CHOSÁN ...

SAN ÁIT A BHFÁSANN CRANN NA DTORTHAÍ AISTEACHA NACH N-ITEAR, AGUS SAN ÁIT A SCAILLFIDH TÚ DO SCÁIL, CASFAR ORT AN TÉ NACH BEATHA DÓ GO BÁS ... TÁ TURAS BRÓNACH AMACH ROMHAT. INA N-IOMPÓIDH AN TIARTHAR AR AN OIRTHEAR AGUS AN TOIRTHEAR AR AN IARTHAR ...

SA LEABHAR SEO TÁ SÉ SCRÍOFA GO BHFUIL TÚ SA TÓIR AR AN RUD ATÁ AGAT CHEANA FÉIN ...

CAD IS BRÍ LEIS SIN?

DEIR SÉ NACH MBÍONN TÚ RIAMH SÁSTA, ACH SIN Í D'FHADHB FÉIN ...

TÁ TÚ DO MO CHUR SOIR LEIS AN TSEAFÓID SEO!

IMIGH, MAR SIN, AGUS NÁ TAR AR AIS. SAN ÁIT SEO, TÁ CONTÚIRT AG BAINT LEIS AN SCUARDACH SAN AIMSIR CHAITE.

134

MAR SIN ...DAR LEATSA, CAITHFIDH MÉ AN CAILÍN BEAG SEO A THABHAIRT LIOM AR SHIÚLÓID TRASNA NA TEORANN – MAR GO BHFUIL CUMA CHNEASTA ORM.

SEA, ACH CUIR UAIT AN MUGA-MAGADH ...TÁ A FHIOS AGAINN GO SCABHRÓIDH TÚ LEIS AN GCAILÍN BEAG SEO...

TÁ A FHIOS AGAINN //// ACH CÉ SIBH FÉIN? AGUS CÉN CHAOI A BHFUIL SIBH CHOMH CINNTE SIN DÍBH FÉIN?

A LEITHÉID DE CHEIST / BRAITHEANN GACH RUD ORTSA. ANSIN SOCRÓFAR AR CHÚRSA AGUS LEANFAIDH GACH RUD DÁ RÉIR. AGUS INA DHIAIDH SIN, BRAITHFIDH GACH RUD AR AN GCINNIÚINT.

EH, SEA ... AN CHINNIÚINT ///

CAD EILE, ACH AN CHINNIÚINT /

CÁ BHFUIL AN CAILÍN BEAG?

AG FANACHT LE CAIRDE.

TABHAIR LEAT AR MAIDIN Í GO BALLA SHÉMIRAMIS. BEIDH CAIRDE LIOM ANSIN.

CÉ NA CAIRDE IAD SIN?

COIRDÍNIGH ATÁ AG FANACHT ORM ANSEO I VAN. BHFUIL AITHNE AGAT AR REISÍD?

TÁ, MEIRLEACH, ACH NÍORBH É BA MHEASA.

NÍORBH É?

NACH RAIBH A FHIOS AGAT? AR ORDÚ AN GHOBHARNÓRA, CROCHADH DO CHARA AGUS A CHUID FEAR ARÚ INNÉ.

CROCHTA?

MAR GHEALL AR CHEVKET, AN GOBHARNÓIR MÍLEATA.

CHEVKET ARÍS!

B'FHÉIDIR NACH BHFUILIMID AG CAINT AR AN REISÍD CÉANNA.

NÍL MÓRÁN EILE DÁ SHÓRT ANN ...

SIN ANOIS IAD!

137

TAR LINNE, BEIDH AN CADI AG IARRAIDH LABHAIRT LEATSA.

139

143

... TÁ A FHIOS AIGE NACH TÚ CHEVKET, ACH GO BHFUIL TÚ AN-CHOSÚIL LEIS ... AGUS TÁ AN T-AIRMÉINEACH BEAG TÓGTHA MAR GHIALL AIGE ...

... CEAPANN SÉ, AR AN GCAOI SIN, NACH N-ÉALÓIDH TÚ LEIS AN ÓRCHISTE...

CÉN CHAOI AR THÁINIG SIBH ORM?

NÍ BAILE AN-MHÓR É VAN, AGUS TUGTAR DO LEITHÉIDSE FAOI DEARA ... GO HÁIRITHE AGUS TÚ AG SIÚL THART I gCOMHLUADAR LE HÁDHRAITHEOIR DE CHUID AN DIABHAIL ATÁ AG IARRAIDH AIRMÉINEACH BEAG ...

... A THABHAIRT SLÁN Ó NA TURCAIGH AGUS Ó NA COIRDÍNIGH AR FAD ATÁ Á HIARRAIDH CHUN A gCUID LEAPACHA A THÉAMH LE LINN OÍCHEANTA FADA AN GHEIMHRIDH.

A BHITSEACH! TÁ TÚ AG OBAIR DO BHAHIAR, ADMHAIGH É!

NÁ BÍODH FEARG ORT, A SHEANDUINE ... FAD IS ATÁ SIAD AG BRATH ORMSA NÍ BAOL DON CHAILÍN.

144

145

146

NUAIR NÁR THÁNGAMAR AR AON EOLAS FAOIN ÓRCHISTE ORT, MHEASAMAR GO RAIBH SÉ AR FAD I DO CHEANN AGAT...

AGUS SIN AN FÁTH GO BHFUILIMID IN ÉINDÍ ANOIS. NACH EA, A THAISCE?

ÉIST, A MHARIANNE! MÁ THUIGIM I GCEART THÚ, TÁ BAHIAR AG OBAIR IN ÉINEACHT LIBH, AGUS TÁ AN BRÁITHREACHAS MÍLEATA TRÉIGTHE AIGE...

... CHOMH MAITH LE RÉABHLÓID PHAN-TURCACH ENVER BEY, AGUS TÁ SÉ DO MO CHOINNEÁILSE SLÁN MAR GUR AGAMSA AMHÁIN ATÁ A FHIOS CÁ BHFUIL AN T-ÓRCHISTE I BHFOLACH, AGUS TÁ AN TAIRMÉINEACH ÓG Á COINNEÁIL AIGE LENA CHINNTIÚ GO NDÉANFAIDH MISE AN RUD A DEIRTEAR LIOM...

BRAVO! NACH TÚ ATÁ CLISTE, TUIGEANN TÚ ANOIS ...

TÁIMID AG AN TEORAINN.

148

149

150

INIS DÚIN FAOIN SEICT SIN, NA FEALLMHARFÓIRÍ, AGUS FAOI SHEANFHEAR AN TSLÉIBHE?

SEANSCÉAL ATÁ ANN, ACH CREIDEANN GO LEOR DE MHUINTIR AN TSLÉIBHE ANOIS GO BHFUIL AN SEANFHEAR BEO IN ATHUAIR.

NÍOS FAIDE Ó DHEAS, SNA SLÉIBHTE, I BHFAD Ó SHIN, BHÍ POBAL SARAISTÍNEACH ANN, NA HAISISIGH INA DTEANGA FÉIN, NÓ "TIARNAÍ AN TSLÉIBHE". MHAIR SIAD TAOBH AMUIGH DEN DLÍ: IN AINNEOIN AN CHÓRÁIN D'ITH SIAD MUICEOIL AGUS LUIGH SIAD LE MNÁ – BEAG BEANN AR CHOL – MÁITHREACHA AGUS DEIRFIÚRACHA SAN ÁIREAMH!

INA GCUID CAISLEÁIN SNA SLÉIBHTE, NÍORBH FHÉIDIR AN CEANN IS FEARR A FHÁIL ORTHU. BHÍ FAITÍOS AR PHRIONSAÍ NA SARAISTÍNEACH ROMPU I BHFAD IS I GCÉIN, CHOMH MAITH LE TIARNAÍ CRÍOSTAÍ NA TEORANN, MAR GO RAIBH BEALACH AR LEITH ACU LENA GCUID NAIMHDE A MHARÚ.

AN TAOISEACH SEO ORTHU, ALOADIN, BHÍ GLEANN IDIR DHÁ SHLIABH AIGE, ALAMUTH, AGUS RINNE SÉ GAIRDÍN ÁLAINN DE, LÁN LE PLANDAÍ NEAMHCHOITIANTA AGUS DE SCÁIRDEÁIN FHÍONA, BHAINNE AGUS MHEALA. BHÍ MNÁ ÁILLE ANN AG CASADH CEOIL, AG DAMHSA, AGUS AG CLEACHTADH EALAÍN AN GHRÁ ...

... ACH NÍ LIGTÍ ISTEACH SA PHARTHAS SEO ACH IAD SIÚD A RAIBH SÉ AG IARRAIDH HAISISIGH A DHÉANAMH DÍOBH. D'AIMSIGH SÉ FIR ÓGA IDIR DHÁ BHLIAIN DÉAG AGUS FICHE BLIAIN D'AOIS A RAIBH TÓIR ACU AR AIRM IS AR GHAISCE...

151

SA GHAIRDÍN. TAR ÉIS DÓ DEOCH A THABHAIRT LE HÓL DÓIBH, AGUS LUIBHEANNA ÁIRITHE A THABHAIRT LE CAITHEAMH DÓIBH, D'FHÁGADH SÉ I GCUIDEACHTA NA MBAN BA DHATHÚLA IAD AGUS SÁSAÍTÍ A GCUID MIANTA CHOMH MÓR SIN NACH MBÍODH NA HÓGÁNAIGH AG IARRAIDH AN GAIRDÍN A FHÁGÁIL ARÍS.

ANSIN, NÍ CHEADÓDH SEAN-ALOADIN DÓIBH DEOCH A ÓL NÁ LUIBH A CHAITHEAMH, AGUS THUGADH SÉ LEIS AMACH AS AN NGLEANN IAD. NUAIR A DHÚISÍDÍS, BHÍDÍS SÁSTA RUD AR BITH A DHÉANAMH LE FILLEADH AR AN MBRIONGLÓID. GHABHAIDÍS ISTEACH I SEICT MEIRLEACH AR A DTUGTAÍ HAISISIGH, NÓ LUCHT CAITE HAISISE.

NUAIR A BHÍODH AN SEANFHEAR AG IARRAIDH GO MARÓFAÍ PRIONSA ÉIGIN, DEIREADH SÉ LE DUINE DE NA HÓGÁNAIGH: "TÉIGH AGUS MARAIGH É. NUAIR A THIOCFAIDH TÚ AR AIS, LIGFEAR AR AIS ISTEACH I BPARTHAS THÚ.". AGUS AR MHAITHE LEIS AN BPARTHAS SIN ...

... BHÍ SIAD SÁSTA DUL I GCONTÚIRT. BHÍ AN OIREAD FAITÍS AR A GCUID NAIMHDE ROMPU GUR GHÉILL SIAD DON SEANFHEAR ... AGUS IS AR AN GCAOI SIN A RINNE AN SEANFHEAR A SHAIBHREAS.

IS DEAS AN SCÉAL É ...

BHUEL ... NÍ BAILEACH GUR FINSCÉAL É. TÁ FIANAISE AGAINN FAOI NA HAISISIGH IN 1170 Ó GHERHARDUS "VICE DOMINUS" AS STRASBOURG, TEACHTAIRE DE CHUID BHARBAROSSA; IN 1273 Ó ARNOLD DE LÜBECK; AGUS Ó MHARCO POLO NA VEINÉISE...

... FICHE BLIAIN TAR ÉIS DO NA MONGÓLAIGH ALIH AMUT, NÓ 'NEAD AN IOLAIR', A SCRIOSADH, SCAIP NA HAISISIGH THAR SHLÉIBHTE AISEARBEASÁINE NA PEIRSE AGUS NA RÚISE. THÁINIG DEIREADH ANSIN LE "LÁMH DHUBH" NA PEIRSE ...

TÁ DO CHUID EOLAIS MÍCHRUINN, A CHORTO MALTESE. CUIREANN SEICT NA HAISISEACH CÉAD FÁILTE ROMHAIBH.

MÁ FHANANN SIBH SOCAIR, NÍ THARLÓIDH TADA DAOIBH.

CAD A THARLÓIDH NUAIR A THUIGFIDH BAHIAR GUR FEALLAIRE ATÁ INA THIOMÁNAÍ?

FEALLAIRE? CÉ DÓ? CÉN CHÚIS?

MÁ TÁ FEALLAIRE ANN, IS É BAHIAR É. FEALLANN SÉ AR GACH DUINE, AGUS IS DÓ FÉIN AMHÁIN ATÁ SÉ DÍLIS. MUIDNE, TÁIMID DÍLIS DÚINN FÉIN.

153

RACHAIMID GO DTÍ AN GLEANN FOLAITHE ANOIS. SOCRÓIDH TIARNA AN TSLÉIBHE CAD A DHÉANFAR LIBH ...

TÁ SIÚLÓID MHAITH ROMHAINN.

IS BREÁ LIOM NA SIÚLÓIDÍ!

CÉN SPÉIS A BHEADH AG AN SEANFHEAR SIN IONAINNE?

MÁ BHÍ AN OIREAD SIN SPÉISE AG BAHIAR IONAIBH ... CHAITHFEADH SÉ GUR FIÚ RUD ÉIGIN SIBH ...

... AGUS SIN AN FÁTH AR THUG MÉ GO DTÍ AN ÁIT SEO SIBH, CEANTAR INAR CHLEACHT MO MHUINTIR SEANCHEIRD UASAL NA ROBÁLA!!!

IS ANSIN THUAS ATÁ DÚNFORT NUA ALAMUT.

NÍL SÉ AN-MHÓR. TÁ SIBH UAILLMHIANACH, ACH NÍL NA HACMHAINNÍ AGAIBH.

155

D'FHÉADFADH SIBH ÉALÚ ANN I NGAN FHIOS.

CAD A BHAINEANN SÉ DUIT?

CÉN FÁTH NACH N-IMÍONN TÚ LEIS NA MNÁ?

SNA SLÉIBHTE, NÍ BHEADH A FHIOS AGAM CÁ NGABHFAINN.

I GCEANN CÚPLA UAIR AN CHLOIG, TOSÓIDH SÉ AG CUR SNEACHTA. AGUS, GAN FOSCADH, IS CINNTE GO SCAILLFÍ MÉ FÉIN IS NA MNÁ ...

ACH, AR AN LÁIMH EILE, MÁ CHABHRAÍMIDNE LIBHSE, B'FHÉIDIR GO GCABHRÓIDH SIBHSE LINNE SAMARKAND A BHAINT AMACH.

CÉN FÁTH A GCOMHLÍONFAINN GEALLTANAS A DHÉANFAINN LE HAINCHREIDMHEACH – NÍL AON CHAIRDEAS EADRAINN!

DÉANFAIDH TÚ É, MAR A DEIREADH SEANCHARA LIOM: MAR GURB É DO MHIAN É.

158

159

... TÁ CUID AGAINN / NÍLIMSE. D'AIRIGH MÉ TRÁCHT AR ÁIT AR A DTUGTAR NUA EABHRAC. CÉN SÓRT ÁITE É FÉIN?

TÁ NUA EABHRAC MAITH GO LEOR – ACH CÉN TSUIM ATÁ AGAT ANN?

BA MHAITH LIOM IMEACHT GO DTÍ AN TIARTHAR, AIRGEAD A SHAOTHRÚ AGUS MO SHAOL A CHAITHEAMH LE MNÁ ÁILLE AGUS CHAMPAGNE.

NÍL SÉ CHOMH HÉASCA SIN.

... DÚRADH LIOM GO BHFUIL AN-TÓIR AG MNÁ AN IARTHAIR AR FHIR NA HÁISE ... CAD A CHEAPANN TÚ FÉIN?

... CEAPAIM GO SCAITHFIMID BREATHNÚ GO BHFEICIMID CAD ATÁ AG TITIM AMACH I DO BHAILE...

TÁ AN CEART AGAT – LABHRÓIMID FAOI NUA EABHRAC AMÁRACH /

GO BEO, A ABBAS /

TÁ CUMA THRÉIGTHE AR AN ÁIT.

161

DUINE É ATÁ IN ANN AN MHAITH A BHAINT AS AN AISLING BHEAG IS LÚ A BHEADH AG DUINE...
..

TUSA, A RÚISIGH, TAR LIOMSA ...

HÉ!... CAD A THARLA DON PHEIRSEACH?

MAR IS LÉIR, TÁ SÉ MARBH.

162

TOITÍN?

CORTO MALTESE?!?
ACH NÍ FÉIDIR É! THÁINIG
TÚ ANSEO DO MO IARRAIDH?
CUIREANN SÉ DEORA LE
MO SHÚILE...
TÁ FONN ORM ...

165

THUG, A CHRÁIN LOFA!!! IS TÚ AN BLIGEARD IS MÓ AR DOMHAN!

HA, HA, HA, HA, HA, HA, HA, HA, HA, HA, HA, HA, HA, HA, HA, HA.

CAD ATÁ ORT? BHFUIL TÚ GLAN AS DO MHEABHAIR?

DÁ MBA GHÁ LIGEAN ORT FÉIN NÁR AITHIN TÚ MÉ NÍ BHEADH LE DÉANAMH AGAT ACH DO SHÚIL A CHAOCHADH, NÓ RUD ÉIGIN MAR SIN ... A PHLEOTA!

ÉIST!

IS MISE CHEVKET AGUS IS GINEARÁL MÉ IN ARM NA TUIRCE. IS LÉIR GO GCEAPANN TÚ GUR DUINE ÉIGIN EILE MÉ.... LE DEIREANAS, TÁ SCÉALTA AISTEACHA CLOISTE AGAM.... IS COSÚIL GO BHFUILIM IN ANN A BHEITH I NGACH ÁIT AG AN AM CÉANNA....

... FIÚ IN ÁITEANNA NÁR LEAG MÉ COIS RIAMH. TÁ DUINE ÉIGIN ATÁ AN-CHOSÚIL LIOM AG IMEACHT SNA BÓLAÍ SEO, ACH ...

... NÍL A FHIOS AGAM CÉN T-AINM ATÁ AIR. THUG TÚ CORTO MALTESE ORM ...

BHÍ TÚ CHOMH SÁSTA SIN É A FHEICEÁIL GO SCUIREANN SÉ FIOSRACHT ORM. AN BHFUIL SÉ CHOMH COSÚIL SIN LIOM?

... NÍL... BHÍ DUL AMÚ ORM. TÁ CORTO MALTESE DIFRIÚIL. NÍL DO CHLUAS POLLTA, MAR SIN, NÍ FHÉADFÁ ACH FÁISCÍN PÁIPÉIR A CHAITHEAMH. AGUS .... AR AON NÓS, RIAMH, NÍ BHUAILFEADH SÉ DUINE ÉIGIN GAN CHOSAINT.

... AGUS NÍ THIOCFADH SÉ CHOMH FADA SEO GO DEO MURA MBEADH AN CAIRDEAS Á THIOMÁINT ... GO DEIMHIN, TÁ SÉ CHOMH HUASAL GO BHFUIL SÉ AMAIDEACH, ACH NÍ BASTARD É COSÚIL LENÁR LEITHÉIDNE ... NÍ HEA, MUIS! NÍL CORTO MALTESE COSÚIL LEAT AR CHOR AR BITH!

AN BHFUIL TÚ AG TABHAIRT BASTAIRD ANOIS ORM?

TÁ ... AGUS NÁ TRIAIL BUILLE DOIRNE EILE A BHUALADH ORM ...

MAR DÉANFAIDH MISE RUD ÉIGIN ORTSA MÁS É AN RUD DEIREANACH A DHÉANAIM É: MARÓIDH MÉ THÚ, ANOIS, INIS DOM CAD ATÁ UAIT!

LE FÍRINNE, SÍLIM GO BHFUIL TÚ GLAN AS DO MHEABHAIR. LÉIGH MÉ DO CHUID CÁIPÉISÍ: TÁ SÉ RÁITE ANSEO GUR DÚNMHARFÓIR CRUTHANTA THÚ; GADAÍ; FOGHLAÍ MARA A BHFUIL PÓILÍNÍ AN DOMHAIN MHÓIR AR A THÓIR; GO BHFUIL TÚ DAORTHA CHUN BÁIS ...

... AG CÚIRT IOSLAMACH ÉIMÍRÍOCHT BHOUKHARA MAR AGÓIDÍ RÉABHLÓIDE; AGUS GO BHFUIL TÚ BAINTEACH LE GLUAISEACHT ÓIGE BHOUKHARIN ...

NÍL A FHIOS AGAM CAD FAOI A BHFUIL TÚ AG CAINT... GLUAISEACHT ÓIGE BHOUKHARIN? CAD É SIN?... POLAITÍOCHT?// TÁ DUL AMÚ ORT! TABHAIR GADAÍ ORM, ACH GO DEO NÁ LUA LE POLAITÍOCHT MÉ!//

AGUS DEIR SÉ GUR AMADÁN MÓR THÚ. TÁ DHÁ BHEALACH AGAT LE TEACHT AS AN ÁIT SEO, AGUS TÁ NÓIMÉAD AMHÁIN AGAT LE DO ROGHA A DHÉANAMH: A BHEITH I DO THEAGASCÓIR DEONACH IN ARM NA HÉIMÍRE FAOI ORDUITHE ENVER PAISEÁ ... NÓ THÚ A CHUR CHUN BÁIS.

DAR ANAMACHA BEANNAITHE NAOIMH MHÓRA NA RÚISE... BHÍ MÉ I M'OIBRÍ DEONACH RIAMH, AGUS I MO THEAGASCÓIR. NÍ DHEARNA MÉ ACH É, AG TEAGASC NA NDAOINE ÓGA – CÉN T-AINM A BHÍ ORTHU ARÍS? AH, SEA ... ÓIGE BHOUKHARIN.

BÍ AIREACH ...

NÁ DÉAN DEARMAD. IS NAIMHDE NA BOUKHARINIGH SIN D'ÉIMÍR NA SÓIVÉADACH ...AGUS BEIDH TUSA I D'OIFIGEACH FAOIN ÉIMÍR.

DAR NDÓIGH... NACH IN É A DÚIRT MÉ? BHÍ MÉ I GCÓNAÍ GLAN IN AGHAIDH NA RUIFÍNEACH ÓG SIN ...

TÁ GACH UILE RUD I GCEART, MAR SIN. CHUN CEANNAS A THÓGÁIL AR SHAIGHDIÚIRÍ MOSLAMACHA CAITHFIDH TÚ A BHEITH I DO MHOSLACHACH. BHFUIL TÚ ...?

NÍOS MOSLAMAÍ NÁ NA MOSLAMAIGH!

I DO MHOSLAMACH? IS MAR NIHILEACH RÚISEACH A SHAMHLAÍGH MISE THÚ NÓ I D'AGÓIDÍ RÉABHLÓIDE ...

TÁ TÚ MÍCHEART GO HIOMLÁN ... NÍ CHUIRIM MÓRÁN SPÉISE SA PHOLAITÍOCHT... IS MAR A CHÉILE DOM IAD...

MARXAIGH, BOILSÉIVIGH, SÓISIALAIGH, DAONLATHAITHE, RÉABHLÓIDITHE, TUATHÁNAIGH, OIBRITHE, INTLEACHTAIGH, NÁISIÚNAITHE, UATHLATHAITHE, MAOINLATHAITHE, SAGAIRT TEIPTHE, DÍOLTAISEOIRÍ....

TÁ TÚ IN AGHAIDH NA HAONSEILBHE AGUS AN CHAIPIT-LEACHAIS?

... FEALSÚNACHT AN DUINE AONAIR... AINRIALAÍ COSÚIL LE KROPOTKIN THÚ, MAR SIN?

AINRIALAÍ? TÁ AN DREAM SIN I BHFAD RÓDHÁIRÍRE DOM. IS IONANN MAOIN DÓIBH SIÚD AGUS GADAÍOCHT. MAR SIN IS GADAÍ MISE, AGUS SIN A BHFUIL ANN.!

FEILEANN SIN MISE. TABHARFAIDH MÉ CHOMH FADA LEIS AN MBEAIRIC THÚ, TABHARFAR CULAITH ÉIDE DUIT ANSIN ... AGUS BEIMID AG CAINT ARÍS AMÁRACH ... A GHARDA!

AGUS SEO ANOIS AN GARDA: GO PIOCÚIL NÉATA SÁSTA.

CAD ATÁ ORT, A PHLEOTA?

... CAITHFIDH TÚ AN "CAID" NUA, RASPÚITÍN BEY, A THIONLACAN GO TEACH NA NOIFIGEACH.

SAN ÁIT SEO, TÁ GACH UILE DHUINE AG DUL CHUN CINN SA SAOL ACH MISE!!!

TÁ AN T-ÁDH ORT, A RÚISIGH ... IS MAITH LE CHEVKET THÚ!

Ó?

NÍL TÁBHACHT AR BITH LEIS SIN, NÍL TÁBHACHTACH ACH GO BHFUIL CORTO ANSEO IN ÁIT ÉIGIN ... ACH CÉN ÁIT?

170

171

NÍL OIREAD AGUS DUINE AMHÁIN AR AN MBAILE!

CUIRFIDH MÉ SCÉALA CHUIG AN GCUID EILE.

TÁ SÉ FÍOR-AISTEACH. NÍL A FHIOS AGAM CÉN FÁTH A MBÍMSE I GCÓNAÍ SÁITE I SCÉALTA AISTEACHA MAR SEO

FADHBANNA, FADHBANNA, FADHBANNA. TADA ACH FADHBANNA...

CORTO MALTESE!!!

CÁ BHFUIL AN CHUID EILE?

TÁ SIAD AR FAD IMITHE... THEITH SIAD LEO! TÁ FAITÍOS A GCRAICINN ORTHU GO GCASFAR ORTHU COSACAIGH ...

... REZA CÁN, AN CEANNAIRE NUA A BHEIDH AR RIALTAS MÍLEATA NA PEIRSE.

TÁIM AG DUL A CHODLADH. TÁ LÁ FADA AMACH ROMHAINN AMÁRACH.

174

176

177

PRÍOSÚN ATÁ ANN AR AN TEORAINN IDIR ÉIMÍRÍOCHT BHOUKHARA AGUS POBLACHT SHÓIVÉADACH NA TURC-ASTÁINE.

IS SA CHEANTAR SIN ATÁ ÓRCHISTE ALASTAIR MHÓIR ... NÓ NÍOS FAIDE Ó DHEAS, IDIR BACTRIAN AGUS AN CHAIFIREASTÁIN.

AN CHAIFIREASTÁIN? AINM TÓGTHA GLAN AS ÚRSCÉAL LE KIPLING!

TÁ AN CEART AGAT. BHÍ SCÉAL AIGE FAOI BHEIRT AMADÁN A BHÍ SA TÓIR AR ÓRCHISTE SA CHEANTAR SIN..

TÁ AN SCÉAL SIN LÉITE AGAM: WEE WILLIE WINKIE

AISTEACH ... NÍOR SHÍL MÉ GO DTAITNEODH KIPLING LEIS NA MNÁ ...

TÁ AN CEART AGAT, NÍ THAITNÍONN SÉ LE M'ATHAIR. IN ÁIT LUAITHRÍONA AGUS GILÍN SNEACHTA A LÉAMH DOM, LÉADH SÉ "AN SOLAS A MÚCHADH" AGUS AN STUIF SIN AR FAD!

178

RÚISIGH?

SEA ... SAIGHDIÚIRÍ TEORANN DE CHUID AN AIRM DHEIRG. AGUS CHUIRFINN GEALL NACH SLÉIBHTEÁNACH PEIRSEACH THUSA ...

... AGUS NÍ PEIRSIGH IAD NA MNÁ ACH AN OIREAD. CÉ SIBH FÉIN?

IS TRÍ SHEANS A THÁNGAMAR ANSEO.

NACH TRÁTHÚIL - MUID FÉIN CHOMH MAITH..

ACH NÍOR FHREAGAIR TÚ MO CHEIST... CÉ SIBH FÉIN AGUS CAD ATÁ AR SIÚL AGAIBH?

SCÉAL FADA É...

INSEOIDH TÚ AN SCÉAL AR FAD AG AN GCEANNCHEATHRÚ, MAR SIN ... AGUS DÉAN CINNTE GO MBEIDH SÉ SPÉISIÚIL ÓN TÚS ...

... NÓ CUIRFEAR IN AGHAIDH AN BHALLA THÚ.

NÍOS MEASA!

BHFUIL NA GARDAÍ DEARGA EILE AR FAD CHOMH SUÁILCEACH LIBHSE?

NÍ RAIBH TÚ RIAMH SA RÚIS? TÁ SÉ AMHAIL IS GUR CASADH ORM CHEANA THÚ ...

CHUAIGH MÉ CHOMH FADA LE DAURIYA AR AN TEORAINN MHANCHÚRACH ...

AH, DA, DA... IS CUIMHIN LIOM ... BHÍ TÚ AR CUAIRT AR UNGERN CÁN. BHÍ MÉ I MO CHAPTAEN AR BHRIOGÁID ÁISEACH AN BHARÚIN ...

AGUS ANOIS TÁ TÚ I DO FHO-LEIFTEANANT AG NA BOILSÉIVIGH: A LEITHÉID D'ARDÚ CÉIME!

B'FHEARR LIOM A BHEITH BEO. DÁ BHFANFAINN LEIS AN MBARÚN UNGERN, BHEINN CHOMH MARBH LEIS FÉIN ... TÁ A FHIOS AGAT GUR CHAITH SIAD É ANURAIDH?

D'AIRIGH MÉ CAINT AIR.

180

AR AN TEORAINN, GO GAIRID INA DHIAIDH SIN ...

A CHOIMEASÁIR, A CHOMRÁDAÍ, IS MISE ROSSIANOV Ó GHARDA DEARG NA TEORANN...

THÁNGAMAR AR BHAILE KEMKOUTZ, AN T-ALAMUTH NUA, AGUS É TRÉIGTHE ... CÉ IS MOITE DE THRIÚR THRÁDÁLAITHE STRAINSÉARTHA ATÁ ANSEO AGAM DUIT...

TRIÚR THRÁDÁLAITHE STRAINSÉARTHA SA PHOLL SEO? AN SPIAIRÍ IAD?/? CUIR CHUN BÁIS IAD!

ACH?!

NÍL AON 'ACH' ANN, A LEIFTEANAINT, A CHOMRÁDAÍ. TÁIMID I DTRÉIMHSE CHORRAITHEACH, TÁ NA SASANAIGH AG TACÚ LEIS NA REIBILIÚNAITHE SNA HÉIMÍRÍOCHTAÍ, TÁ ÉIRÍ AMACH I GCOIMIRCEAS BHOUKHARA, TÁ GORTA ANN, AGUS NÍL AN T-AM AGAINN LE CAITHEAMH AR CHÁSANNA CÚIRTE BUIRGÉISEACHA ... LÁMHACHAIGH IAD!!!

IS MNÁ BEIRT ACU, A CHOIMEASÁIR, A CHOMRÁDAÍ..

BEAN A BHÍ I MATA HARI, AGUS SPIAIRE. BHFUIL AON CHUMA ORTHU? DATHÚIL?

DATHÚIL? ... IS DÓIGH GO BHFUIL ... TAR ÉIS CÚPLA MÍ AR AN TEORAINN AGUS GAN LE FEICEÁIL ACH MUSLAMAIGH MNÁ INA gCUID CAILLEACHA, D'FHÉADFÁ A CHEAPADH GO RAIBH AN BHEIRT SEO CHOMH MAITH LE RINCEOIRÍ CAN-CAN NA FRAINCE...

181

AH ... TÁ CUR AMACH AGATSA AR AN DOMHAN MÓR, AGUS AR CHAN-CAN NA FRAINCE, A LEIFTEANAINT, A CHOMRÁDAÍ!

NÍL ANN ACH GO BHFUIL BEAGÁN EOLAIS AGAM AR PHÁRAS, AGUS AR SHAOL NA HOÍCHE ANN.

NÓ, LE FÍRINNE, BHÍODH EOLAS AGAM AIR...

EH ... B'FHÉIDIR GUR ÉIRIGH LIOM SIBH A SHÁBHÁIL ÓN MBÁS, ACH BRAITHEANN SÉ ORAIBHSE ANOIS!

MUID A CHUR CHUN BÁIS? TÁ TÚ AG MAGADH!

NÍL. I NDÁIRÍRE, TÁIMID THAR A BHEITH ÉIFEACHTACH SA CHEANTAR SEO.

B'FHÉIDIR GO BHFUIL SÉ IN AM AGAM SCÉALA A CHUR CHUIG SEANCHARA LIOM – FEAR A BHFUIL SÉ DE CHUMHACHT AIGE MUID A THABHAIRT AS AN TSÁINN

CÉ HÉ SEO?

182

188

AN UAIR SEO, TÁ AN CEART AG AN ÓINSEACH. IS É A FADHB FÉIN É! IS FEARR CUIMHNEAMH AR ÓRCHISTE ALASTAIR MHÓIR.

CAD AIR ATÁ TÚ AG SMAOINEAMH?

AR CHARA!

I BHFEIDHMIÚ NA CUMHACHTA, TÁ POINTE AN-TAITNEAMHACH ANN, NUAIR A GHÉILLEANN AN DUINE AONAIR DO MHIANTA DUINE EILE.

NÍ HAMHÁIN DÁ DHEOIN FÉIN, ACH LE MOTHÚCHÁN AN TSUÁILCIS...

ACH IS É AN NÓIMÉAD IS DEISE AR FAD AN UAIR NACH N-AITHNÍONN AN DUINE GO BHFUIL SÉ FAOI ORDÚ. SIN EALAÍN AN OIRIÚNAITHE. AGUS ANDIS, CHUN TOSAIGH ... MÁIRSEÁLAIGÍ!

CLÉ! DEAS! CLÉ! DEAS! IN BHUR MBEIRTEANNA, CLÉ! DEAS! CLÉ! DEAS!

AGUS NÁ DÉANAIGÍ DEARMAD: NÍ CHEADAÍTEAR AON SILÉIG SAN ARM CLÉ! DEAS! CLÉ! DEAS! CLÉ! DEAS!

190

191

MAR SIN, IS TUSA
AN CADI NUA,
AN TEAGASCÓIR
MÍLEATA?

TÁIM I MO THEAGASCÓIR AR
BHUÍON AMADÁN ...
CÉ IN AGHAIDH A
BHEIMID AG
TROID?

IN AGHAIDH
NA RÚISE AGUS
IN AGHAIDH NA
RIALTAIS
SHEALADACHA
A THACAÍONN
LEO ÓN GCOSTA
SEO GO DTÍ AN
MHUIR CHAISP.

IN AGHAIDH
NA RÚISE?

EAGRÓIDH MÉ
AN CÚLÚ ...

HEAH?

GABH MO LEITHSCÉAL,
A PHAISEÁ, ACH NÍ
CHEAPANN TÚ GO
DTROIDFIMID ARM NA
RÚISE LEIS NA
SAIGHDIÚIRÍ
SEO?

IS
RÚISEACH
THÚ FÉIN,
NACH EA?

RUGADH SA RÚIS MÉ, ACH IS É AN T-AIRGEAD
MO NÁISIÚN, IS CUMA LIOM FAOI
RUD AR BITH
EILE.
TROIDFIDH
MÉ DUITSE
... FAD IS
A ÍOCTAR
MÉ.

CÉN CLUICHE ATÁ Á IMIRT AGAT, A RÚISIGH?

MO CHLUICHE FÉIN, AGUS IS MAITH ATÁ MÉ IN ANN É A IMIRT!!!!

DÁ MBEADH MUID IN ANN DUL SIAR AR NA RUDAÍ AR FAD ATÁ DÉANTA AGAINN, DHÉANFAINN É SIN AR AN BPOINTE, ACH TÁ SÉ RÓMHALL ANOIS.

SAN EACHTRA DHÍCHÉILLÍ SEO, NÍLIM AG IARRAIDH IN ÉINEACHT LIOM ACH GEILT MAR MÉ FÉIN.

TÁ DO CHEANNAIRE SNA CEARCA FRAOIGH. SHÍL MISE GO MBEADH SÉ SÁSTA LE COGADH BEAG IN AGHAIDH NAMHAD ÉIGIN.

TÁ SÉ INA OISÍN I NDIAIDH NA FÉINNE!

TÁ AN CHORÓIN CAILLTE AG ENVER PAISEÁ. IS É KEMAL A BHAIN DE Í, KEMAL, UACHTARÁN NUA NA TUIRCE...

... A BHÍ INA CHARA AIGE FADÓ ... BHÍ SÚIL AG ENVER PAISEÁ GO BHFAIGHEADH SÉ TACAÍOCHT Ó NA BOILSÉIVIGH IN AGHAIDH KHEMAL AGUS GO NDÉANFAÍ UACHTARÁN NA TUIRCE DE FÉIN, ACH NÍ MAR SIN A THIT AMACH AR DEIREADH. IS FEARR A THAITIN KEMAL LEIS NA RÚISIGH.

TÁ ENVER SEARBH ANOIS. IN IARRACHT MHÓR DHEIREANACH, TÁ SÉ AG IARRAIDH NA POBAIL THURCA-IOSLAMACHA A NASCADH I GCÓNAIDHM MHÓR ÓN MUIR CHAISP GO DTÍ AN CHUGAS, AGUS Í AITHEANTA AG CONRADH NA NÁISIÚN.

NÍ ÉIREOIDH LEIS ... NUAIR A BHÁITEAR LONG CAITHFEAR FOGHLAIM LE SNÁMH, MAR A DEIRTEAR. AGUS TÁIMSE AG FOGHLAIM GO GASTA. TÁ AN TOBAC SEO I BHFAD RÓTHIRIM.

TUIGIM AGUS ...

... THARLA GUR BHEIRT BHASTARD MUID, MAR A DEIRTEAR, IS DÓIGH GO GCAITHFIMID CUR AR ÁR SON FÉIN. CÁ BHFUIL CISTE NA REISIMINTE?

DA-DA-DA ! DA-DA-DA-DA-DA ! TÁ CARABHAN NA BAICTRIA TAGTHA !

A GHARDAÍ ... AR DUALGAS !

Ó, ÉIRIGÍ SUAS, A THOGHA NA BHFEAR IS CUIRIGÍ PÍCE AR BHARR GACH CLEITH ... IS ...

LEAGAIGÍ SÍOS IAD, LUCHT AN DROCH-CHROÍ ....

IS CUIRIGÍ DLÍ NA FRAINCE AR BUN ...

GABH MO LEITHSCÉAL, A CHADI RASPA, CAD IS BRÍ LEIS SIN?

DÁ MBEADH A FHIOS AGAM FÉIN É.!.!?

A CHEVKET!

CÉ HÉ SIN?

AN COIRNÉAL BAHIAR...

... SEANSÁLAÍ NACH BHFUIL TODHCHAÍ AR BITH ROIMHE.!

TÁ SÉ DOCHREIDTE, CASADH DUINE ORM ATÁ CHOMH COSÚIL LEAT LE DHÁ BHRAON UISCE...

TÁ A FHIOS AGAM. CORTO MALTESE ÉIGIN.!

196

197

199

TABHAIR LEAT AN CAILÍN, A CHAÏD...

CAD A DHÉANFADH MISE LÉI? TÁ SÍ RÓ-ÓG DOM!

NÍLIM Á TABHAIRT DUIT LE HAGHAIDH SIN, CAITHFIMID Í A THABHAIRT CHUIG DO CHARA CORTO.

AH!

TÁ!

DEA-SCÉALA ... TÁ CORTO SA CHEANTAR, MAR SIN?!?

GABH I LEITH, A CHAILÍN, AGUS BEIDH D'UNCAIL RASPÚITÍN INA MHÁTHAIR AGAT!

200

201

CÁR THIT MÉ?

TÁ MO CHLOIGEANN BRISTE AG AN GCAILÍN BEAG SIN! ACH?!?

TUSA?!!! CÉ AS AR THÁINIG TÚ?

NÍL SÉ AN-SOILÉIR. CÉ ACU THÚ? CORTO NÓ CHÉVKET?

203

TÁ TÚ I BHFAD NÍOS DEISE MAR SIN, A RÓGAIRE!

NÁ LEAG MÉAR ORM, A ÓINSEACH!

Ú LA LA! D'INIS DO CHARA CORTO DÚINN GO MBÍONN TÚ DEACAIR AR DTÚS ...

AR AON NÓS, TABHARFAIDH MISE AIRE DUIT, A BHUACHAILL...

AMACH AS MO RADHARC, A SCLÍTEACH!

CAD ATÁ TAGTHA ORM? DAMNÚ AIR ... IS CUIMHIN LIOM GUR CHAITH AN T-AIRMÉINEACH BEAG SIN CLOCH LIOM ...

AGUS ANOIS AN LEATHCHEANN SEO ... A GHEARR M'FHÉASÓG ORM ... NÍOS DEIREANAÍ, MARÓIDH MÉ Í. ACH RUD EILE: LUAIGH SÍ CORTO MALTESE ?!?

SEA ... NÍL SÉ AN-SOILÉIR ... CHAITHFEADH SÉ GO RAIBH MÉ I BHFAD I MO CHODLADH ... TÁ CONFADH OCRAIS ORM.

MEAS TÚ CÉN FÁTH AR THÁINIG CORTO CHUN CUIMHNE CHUGAM?

OÍCHE MHAITH, A RASPÚITÍN!

TÚ FÉIN ATÁ ANN ... I NDÁIRÍRE... NÓ ... AN CHEVKET ATÁ GLÉASTA MAR CHORTO MALTESE?

TÁ TÚ FÉIN AGUS CHEVKET AG OBAIR AS LÁMHA A CHÉILE ANOIS ... DOCHREIDTE!

... TÁ AN OIREAD RUDAÍ DOCHREIDTE INCHREIDTE ... BREATHNAIGH AR A BHFUIL AG TARLÚ ANOIS!

ACH AN TÚ ATÁ ANN, INIS DOM!

TÁ RÍMÉAD ORM THÚ A FHEICEÁIL, A RASPA!

205

IS AGATSA AMHÁIN ATÁ SÉ DE CHEAD RASPA A THABHAIRT ORM!

NÍOR CHAILL TÚ RIAMH É, A RASPA!

DIA Á RÉITEACH, AN GCAITHFIDH MÉ ÉISTEACHT LEIS AN TSEAFÓID SEO!!! BREATHNAIGH AR AN MBAIL A CHUIR SIAD ORM.

GO HÁLAINN!

... INIS DOM ... CÉN CHAOI AR ÉIRIGH LEAT TEACHT CHOMH FADA SEO?

CAIRDE!

... AGUS CÉN CHAOI A RAIBH A FHIOS AGAT GO RAIBH MÉ ANSEO?

CAIRDE!

MAR SIN, IS CAIRDEAS A THUG ANSEO THÚ?

NÍORBH EA!

NÍOR ATHRAIGH TÚ A DHATH RIAMH! MHARÓDH SÉ THÚ A ADMHÁIL GO BHFUIL CROÍ MÓR BOG IONAT, NACH MARÓDH?

NÍ MHARÓDH.

THÁINIG TÚ ANSEO MAR GUR MÉ DO CHARA!

MÁS FEARR LEAT É SIN.

SEA! IS FEARR LIOM É SIN. I NDEIREADH NA CÚISE, CÁ BHFAIGHFEÁ CARA EILE COSÚIL LIOMSA?

TÁ AN CEART ANSIN AGAT!

ANOIS, THARLA GO NDÚIRT TÚ AN RUD A BHÍ UAIM A CHLOISTEÁIL...

INIS DOM AN FHÍRINNE. CÉN FÁTH AR THÁINIG TÚ GO DTÍ AN POLL FOLAITHE SEO?

AR MHAITHE LEATSA!

NÍ CHREIDIM THÚ. TÁ TÚ TAGTHA SA TÓIR AR AN NGAUGUIN BEAG SIN A GHOID MÉ UAIT IN HONG KONG!

É SIN, FREISIN.

208

DEICH LÁ? DEICH LÁ!!! ACH ... CÉN T-EOLAS ATÁ AGAT AR AN ÓRCHISTE SEO AGUS AR CHEVKET?

NÍL AR EOLAS AGAM ACH AN MÉID ATÁ AR EOLAS AG GACH UILE DHUINE: GUR IMIGH SÉ LEIS AN AIRMÉINEACH ÓG A BHFUIL SÉ CEAPTHA A THABHAIRT DOM MAR MHALAIRT AR THREORACHA LE TEACHT AR AN ÓRCHISTE ...

AGUS CAD A DHÉANFAIDH TÚ?

TÁ SÉ LE CASADH LIOM AR THEORAINN NA HAFGANASTÁINE, GAR D'ABHAINN KAFIRNIGAN, TAOBH Ó DHEAS DEN ÁIT SEO ...

GABHFAIMID ANN IN ÉINEACHT... CAD EILE ATÁ AR EOLAS AGAT?

GO BHFUIL A ARM TAR ÉIS ENVER BEY A THRÉIGEAN.

NÍL IONTAS AR BITH ORM. NÍ RAIBH IONTU ACH SLÉIBHTEÁNAIGH AINEOLACHA. IMEOIMIS AS SEO ANOIS!

NA RÚISIGH ... NA RÚISIGH!

211

NÁ BAC LEIS SIN, AGUS INIS DOM CÁ BHFUIL AN T-ÓR.

TÁ SÉ SCRÍOFA I MO CHEANN, BÍODH MUINÍN AGAT ASAM!

BHÍ SÉ CLOISTE AGAM GO RAIBH CISTE ÓIR I BHFOLACH IN ÁIT ÉIGIN ANSEO, THART AR BHOUKHARA.

... SEA, I NGAR DO THEACH ÓRGA SHAMARKAND, AN PRÍOSÚN ...

AN PRÍOSÚN A RAIBH MÉ COINNITHE ANN ... ÁIT UAFÁSACH, A CHORTO, UAFÁSACH!

TUIGIM.

BOOM! BOOM! BOOM! BOOM! BOOM! BOOM! BOOM! BOOM!

... SEA, ACH IS I NGAR DON PHRÍOSÚN A DÚIRT MÉ, AGUS AN RUD ATÁ I NGAIREACHT ANOIS D'FHÉADFADH SÉ A BHEITH I BHFAD SAN AM ATÁ CAITE...

HEAH? CÉN TEANGA Í SEO ATÁ Á LABHAIRT AGAT?

BOOM! BOOM! BOOM!

TÁ NA RÚISIGH AG IONSAÍ.

BHÍ SIAD DEARMADTA AGAM.

FÁG SEO! DÉAN DEIFIR!

NACH ÉASCA DUIT É SIN A RÁ, TÁ TUIRSE ORMSA!

212

213

FÁG SEO ... CAITHFIMID IMEACHT. GO BEO!

HEH! FAN NÓIMÉAD, NÍLIM IN ANN RITH, TÁIM CHOMH LAG LE HÉINÍN GÉ.

NÍL TÚ ACH Á RÁ SIN LE GO N-IOMPRÓINN THÚ.

AR M'FHOCAL, NÍ DHÉANFAINN É SIN GO DEO...

HURRAH! HURRAH!

HURRAH! CRACK! HU RRAH! CRACK!

CRACK! CRACK!

NÍL IONAT ACH LEADAÍ!

TÁ A FHIOS AGATSA É SIN ...ACH TÁ A FHIOS AGAM GO BHFUIL TÚ MÓR LIOM.

HURRAH! CRACK!

EAH, CAD ATÁ TAGTHA ORT?

CRACK! CRACK! CRACK! CRACK!

BHUEL, BHFUIL PIAN ORT?

A CHORTO... NÁ FÁG LIOM FÉIN MÉ...

CRACK! CRACK! CRACK! CRACK! CRACK!

CRACK! CRACK!

215

217

218

CÉN FÁTH? MAR IS TÚ CEANNFORT AIRM ENVER PAISEÁ, AGUS CAITHFIDH TÚ MUID A THREORÚ CHUN AN BHUA.

CÉN BUA? TÁ SIBH AR FAD AS BHUR MEABHAIR, ENVER PAISEÁ ACH GO HÁIRITHE!

BHÍ A FHIOS AGAM RIAMH GUR FEALLAIRE A BHÍ IONAT... COSÚIL LE CHEVKET SIN!

TÁ GO MAITH, RACHAIMID GO DTÍ AN PAISEÁ.

... NÍL AON GHÁ LEIS SIN. CHUN FEALLAIRE RÚISEACH A CHUR CHUN BÁIS, NÍ THEASTAÍONN AN PAISEÁ!

... CEANGAIL AN FEAR SIN DE BHÉAL AN GHUNNA MHÓIR!

EAH ... FAN NÓIMÉAD... CÉN GUNNA MÓR?

NÁ BÍODH FAITÍOS ORT, A CHAID, NÍ AIREOIDH TÚ TADA!

CAD ATÁ I GCEIST AGAT, NÍ AIREOIDH MÉ TADA? TÁ SIBH LE MÉ A CHUR IN AER LE PILÉAR GUNNA MHÓIR AGUS NÍ AIREOIDH MÉ TADA!

219

220

221

222

223

CAD ATÁ ORT? CÉN FÁTH A BHFUIL TÚ CHOMH FEARGACH?

NÍL FEARG AR BITH ORM. NÍ FIÚ É... ACH TÁ TÚ AG CUR AS DOM ANOIS. CHUIR AN BHEAN SIN A BEATHA I MBAOL LE TEACHT I SCABHAIR ORAINN!

ACH ...

LENA BHFUIL AG TARLÚ THART TIMPEALL ORAINN, NÍ AM É SEO LE HAGHAIDH CEACHTANNA MORÁLTA. NÍOR IARR MÉ TADA AR AN ÓINSEACH SIN – ACH MÁ TÁ SÉ TÁBHACHTACH DUIT, GLACFAIDH MÉ BUÍOCHAS LÉI AR BALL.

FAD IS A BHAINEANN SÉ LIOMSA, DÉANADH TÚ DO ROGHA RUD... ACH CAITHFIMID IMEACHT ANOIS!

SIN É AN RUD IS CIALLMHAIRE A DÚIRT TÚ FÓS!

224

225

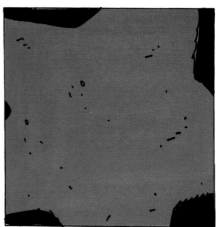

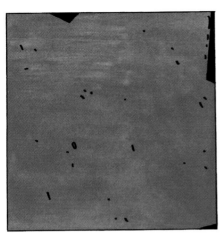

BHUEL ... LE FÍRINNE ... NÍ DHEARNA MÉ ACH MO DHUALGAS ...

TÁIM AN-BHUÍOCH DÍOT, A CHAÏD.

AR AON NÓS, IS GEARR GO MBEIDH AN EACHTRA SEO AR FAD THART, NÍ RÚISIGH NA SAIGHDIÚIRÍ SIN ATÁ AMACH ROMHAINN, ACH AIRMÉINIGH BHOILSÉIVEACHA A BHFUIL SEAN-FHALTANAS ACU LIOMSA.

BA BHREÁ LEO MÉ A MHARÚ – FAD IS A BHAINEANN SÉ LEOSAN, IS MISE A MHARAIGH A MUINTIR. TÁIM I M'AONAR ANOIS ... TÁ MO CHUID FEAR AG TEITHEADH AS SEO ... SEO É AN DEIREADH ... NÍ MÓR DUIT FÉIN IMEACHT FREISIN, A CHAÏD!

IMEOIMIS, A RASPÚISTÍN. TÁ AN CEART AG AN BPAISEÁ. NÍ BHAINEANN SÉ LINN!

TÁ AN CEART AGAT... NÍ BHAINEANN SÉ LIBH. ACH AIRÍM DOICHEALL ÉIGIN ORT ROMHAM ... AN NDEARNA MÉ DOCHAR DUITSE FREISIN?

NÍ DHEARNA.

... NÍL AON NAIMHDEAS AGAM LEAT, AGUS NÍL AON BHÁ AGAM LEAT ACH AN OIREAD.. AR AON NÓS, NÍLIMSE AG TABHAIRT AON BHREITH ORT, NÍLIM ACH AG FREAGAIRT NA CEISTE A CHUIR TÚ ORM.

229

TUIGIM ... IS TÚ AN CORTO MALTESE SIN A CHUIR FAITÍOS AR AN SCEANNFORT, AGUS A BHÍ Á SHEACHAINT AG AN BHFEALLAIRE SIN CHEVKET...

BHÍ AN-MHEAS AG JOHN REED BOCHT ORT. BHÍ MÉ MÓR LEIS. LABHAIR SÉ LIOM FÚTSA ...

NÍ CUIMHIN LIOM ANOIS CÉN UAIR.

NACH AISTEACH? AR THUG TÚ FAOI DEARA? SEO MÍ LÚNASA AGUS TÁ SÉ AN-FHUAR!

CHAITHFEADH SÉ GO BHFUIL SNEACHTA AR NA DARWAS.

231

232

233

235

240

241

242

B'FHÉIDIR GUR DAMHSÓIR MÓR A BHÍ I DO MHÁTHAIR, ACH TÁ A FHIOS AGAM NACH PRIONSA RÚISEACH A BHÍ I D'ATHAIR, ACH TÁILLIÚIR ÉADAIGH DO MHNÁ...

TÁILLIÚIR DO MHNÁ!

CÉN CHAOI A BHFÉADFÁ A LEITHÉID DE RUD A RÁ FAOI M'ATHAIR?

SIN É A CHUALA MÉ!

NUAIR A BHEIDH SIBHSE STOPTHA AG DAMHSA, TÁ SCÉALA AGAM DAOIBH!

CÉN SCÉALA É SEO, A MHARIANNE?

TÁ ÁR GCOMPÁNACH TAISTIL, VENEXIANA STEVENSON, AG SIÚL!

AG IOMPAR? TORRACH? CÉN UAIR ...?

SHÍL SÍ NACH RAIBH ANN ACH MOILL, ACH TÁ SÍ OS CIONN DHÁ MHÍ ANOIS AGUS TÁ NA HAIRÍONNA CEARTA UIRTHI!

MAR SIN, NÍ FÉIDIR LÉI TEACHT IN ÉINEACHT LINN ...

BHEADH SÉ RÓ-BHAOLACH.

ACH ... ACH NÍ FÉIDIR LINN Í A FHÁGÁIL ANSEO AISTI FÉIN ACH AN OIREAD...

CÉN FÁTH NACH FÉIDIR? BEAN BHREÁ LÁIDIR Í ...

ÉIRIGH AS, NÍ FÉIDIR LINN Í A FHÁGÁIL SA RIOCHT SEO ...

IS FÉIDIR, IS BEAN CHUMASACH ÉIRIMIÚIL, CHLISTE Í.

STOPAIGÍ, AN BHEIRT AGAIBH.

FANFAIDH MÉ ANSEO LE VENEXIANA. BEIDH MÉ IN ANN CABHRÚ LÉI. SÍLIM GO MBEINN SA BHEALACH ORAIBH, AR AON NÓS, AR AN TURAS SEO ATÁ AG ÉIRÍ NÍOS DEACRA IS NÍOS DEACRA.

TÁ AN-MHISNEACH AGAT, A MHARIANNE, ...ACH NÍ FÉIDIR LIOM SIBH A FHÁGÁIL ASAIBH FÉIN...

GO RAIBH MAITH AGAT.. ACH TÁ TÚ AG DÉANAMH DEARMAD AR AN AIRMÉINEACH BEAG...

CAD A THARLÓIDH DI MÁ FHÁGTAR Í I LÁMHA CHEVKET SIN?

TÁ AN CEART AR FAD AGAT, A MHARIANNE DHIL ...

BHÍ A FHIOS AG AN MBEIRT BHAN SEO CAD A BHÍ AR BUN ACU ... CAITHFIMID TEACHT I GCABHAIR AR AN AIRMÉINEACH BEAG LÁITHREACH!

SCRÍOBHFAIDH MÉ LITIR DAOIBH DON CHEANNFORT FRUNZÉ Ó ARM DEARG NA TEORANN. LIGFIDH SÉ DAOIBH TEORAINN NA TUIRCE A THRASNÚ.

FRUNZÉ? NÍ FEAR MÓR GÁIRE É!

NÍ HÉ IS GEALGHÁIRÍ, ACH IS CARA LIOM É, AGUS TÁIM CINNTE GO GCABHRÓIDH SÉ LEO.

NACH AGAT ATÁ NA CAIRDE GO LÉIR!!!

B'FHEARR DAOIBH IMEACHT.

BHUEL ... CAD IS CÓIR DOM A DHÉANAMH?

CAD IS CÓIR DUIT A DHÉANAMH? SIN CEANN MAITH!!!

MARIANNE A D'INIS DOM.

TUIGIM ... ACH NÍLIM AG IARRAIDH A BHEITH I M'UALACH ORAIBH. NÍ FÉIDIR LIOM COINNEÁIL ORM ... ACH SIBHSE, CAITHFIDH SIBH É SEO A CHUR I GCRÍCH!

... NÓ BEIDH GACH UILE RUD A THARLA GO DTÍ SEO GAN CHIALL...

ACH...

NÍL AON "ACH" ANN. MÁ ÉIRÍONN LEAT AN RUD ATÁ Á CHUARDACH AGAT A AIMSIÚ, BEIDH SÉ AMHAIL IS GUR ÉIRIGH LIOMSA FREISIN.

TÁ MARIANNE AG IARRAIDH FANACHT IN ÉINDÍ LEAT...

CEAPANN SÍ GUR FÉIDIR LÉI CABHRÚ LIOM... DUINE UASAL Í, COSÚIL LEAT FÉIN.

GO HIONTACH ... DAOINE UAISLE SIBH GO LÉIR, ACH SIN BHUR NDÓTHAIN ANOIS DEN SUÁILCEAS!

... IS GEARR GO MBEIDH NA BOILSÉIVIGH ANSEO ... AGUS NÍLIMSE AG FANACHT ANSEO GO DTIOCFAIDH SIAD!

CREIDFINN É!

AN TÚ FÉIN AN ...?

NÍ MÉ!

TÁ NA TURCAIGH TAR ÉIS AN SLIABH A THABHAIRT ORTHU FÉIN.

SEA ... CHONAIC MÉ MILÚIL THIAR ANSIN ... TABHARFAIMID LINN É.

INIS DOM A RASPÚTÍN, THARLA GO BHFUIL AITHNE MHAITH AGAT AIR, AN RAIBH AN FEAR SIN RIAMH I NGRÁ?

I BHFAD Ó SHIN, SÍLIM...

... LE BEAN ÓG ÁLAINN A RAIBH FAITÍOS UIRTHI ROIMH AON ATHRÚ INA SAOL. ACH NÍOR THARLA TADA EATARTHU. CHAITH SIAD GO LEOR AMA AG BREATHNÚ AR A CHÉILE AGUS NÍOR LEAG SIAD LÁMH NÁ MÉAR AR A CHÉILE RIAMH ...

... AMHAIL IS GO RAIBH FAITÍOS ORTHU GO DTABHARFAIDÍS GALAR DÁ CHÉILE... ANSIN LÁ BREÁ ÉIGIN, D'ÉIRIGH LEIS AN MBEAN ÓG AN FAITÍOS A BHÍ UIRTHI A SMACHTÚ, PHÓS SÍ DUINE ÉIGIN EILE AGUS B'IN SIN.

CORTO, BOCHT, TÁ SÉ CHOMH LÁCH ...

...AGUS CHOMH DEAS /// CIBÉ RUD É FÉIN, NÍL AON LUÍ AG AN MAIRNÉALACH SIN LE RÉASÚN NÁ LE LOIGHIC. TÁ SÉ I NGRÁ LE PICTIÚR DE FÉIN AGUS É I NGRÁ. AGUS É AR MAOS LE MAOITHNEACHAS AGUS UAIGNEAS /

AGUS TUSA, A BHITHIÚNAIGH? AN RAIBH TÚ RIAMH I NGRÁ? AN BHFUIL PÁISTÍ AGAT?

248

IS FUATH LIOM AN MHIÚIL SIN... TÁ SÍ AG OBAIR I M'AGHAIDH!

B'FHÉIDIR GO BHFUIL AN CEART AICI...

MEAS TÚ AN BHFUIL?... FEICFIMID ANOIS!

BHÍ A FHIOS AGAM NACH RAIBH AON SCIL AGAT I MIÚILEANNA.

NÍ FÍOR SIN! RÉITIGH MÉ GO MAITH RIAMH LEIS NA MIÚILEANNA. ACH Í SIN NÍL INTI ACH ...

249

25 LÚNASA

1 MEÁN FÓMHAIR

5 MEÁN FÓMHAIR

BHUEL?

SÍLIM GUR TIMUR CHEVKÉT ATÁ ANN!

SEACHTAR FEAR AGUS CAILÍN BEAG ...

SIN IAD IAD... SIN IAD IAD!

SEA ... SIN IAD CHEVKÉT AGUS A CHAIRDE ...

BHUEL? AN MAITH AN SCÉAL É SIN?

DEIR MO MHÁTHAIR NACH BHFUIL SÉ ÁDHÚIL CASADH LE DO LEATHCHEANN FÉIN.

250

NÁ HABAIR GO BHFUIL TÚ PISREOGACH ?!?

DAR NDÓIGH, TÁ...

... RINNE ADHRAITHEOIR DE CHUID AN DIABHAIL TAIRNGREACHT A FÍORAÍODH DOM. CEANN FAOI CHRANN ...

...AGUS TORTHAÍ DO-ITE, AGUS CEANN EILE FAOI CHASADH LE DUINE A CHAITHFEADH BÁS A FHÁIL LE MAIREACHTÁIL ... B'ÉIGEAN D'ENVER BEY BÁS A FHÁIL LE GO MAIRFEADH A CHUID IDÉAL ... AGUS ANSIN BHÍ SCÉAL ÉIGIN ANN FAOI SCÁIL A CHAILLFÍ ...

SCÁIL A CHAILLFÍ !!

SIN É A DÚIRT ASARLAÍ DE CHUID AN YEZIDI. DÚIRT SÉ FREISIN GUR TURAS BRÓNACH A BHEADH ANN INA N-IOMPÓDH AN T-OIRTHEAR ...

... AR AN IARTHAR... BHÍ AN CEART AIGE, TÁ GO LEOR ATHRUITHE AG TITIM AMACH ...

... MÓR AN MHAITH GO BHFUIL / NÍ FHEADFAIMID A BHEITH ...

...GAFA AG AN AIMSIR CHAITE COSÚIL LEATSA / OÍCHE MHAITH ///

251

252

... THÁINIG TÚ LE LÉARSCÁIL DON ÓRCHISTE A THABHAIRT DOM?

NÍOR THÁINIG. THÁINIG MÉ LE GO SCUIRFEADH MUID LÁMH INÁR MBÁS FÉIN!

LÁMH INÁR MBÁS FÉIN? IS AIT AN SMAOINEAMH É. BHFUIL FUATH CHOMH MÓR SIN AGAINN DÚINN FÉIN?

CÉN CHAOI A NDÉARFAIDH MÉ É? IS MINIC NACH FIOS CÁ DTOSAÍONN FUATH.

CHAITHFEADH SÉ GUR DEAMHAN THÚ ...

... NÍL SCÁIL AGAT.

FEICIM!

NÍLIM IN ANN CODLADH AR BITH A DHÉANAMH! TÁ TÚ AG CAINT AGUS TÚ I DO CHODLADH ANOIS ...

NÍ RAIBH MÉ I MO CHODLADH, BHÍ MÉ AG SMAOINEAMH!

TÁIM AG DUL AMACH AG SIÚL. MURA MBEIDH MÉ AR AIS I GCEANN UAIR AN CHLOIG, TAR DO MO CHUARDACH ...

CAD ATÁ ORT?

255

... ATÁ AR CHORÓ ROIMH A CHOSÚLACHT FÉIN...

DOTHUIGTHE, TÁ SÉ I NDÁIRÍRE DOTHUIGTHE!

A CHEVKET CÁN, TÁ AN CAID RASPA...

... TAGTHA.

A CHAÏD RASPA, TÁ RÍMÉAD ORM THÚ A FHEICEÁIL ARÍS.

ORMSA ATÁ AN RÍMÉAD.

... CÉ GUR FHÁG TÚ I M'AONAR MÉ I NDÚNFORT ENVER BEY...

B'ÉIGEAN DOM IMEACHT SULA DTAGADH NA RÚISIGH.

ACH TÁ TÚ ANSEO ANOIS. AGUS DO CHARA, CORTO MALTESE, BHFUIL SÉ FEICTHE AGAT?

TÁ ... ACH FAD IS A BHAINEANN SÉ LEIS AN ÓRCHISTE NÍLIMID AG BRATH AIR.

CÉN CHAOI, "NÍLIMID AG BRATH AIR"?

MAR TÁ A FHIOS AGAMSA GO DÍREACH CÁ BHFUIL AN T-ÓR.

259

262

263

TÁ SÉ MÍMHÚINTE ... ACH NÍL A FHIOS AIGE FÉIN É ...

BHÍ RÍ ANN FADÓ, AGUS ...

... CÍORAS AB AINM DÓ. AGUS BHÍ SÉ AG IARRAIDH AN BHANRÍON TAMIRIS A PHÓSADH. THAIRG SÉ ÓRCHISTE MÓR MILLTEACH DI, ACH ...

... BHAIN SÍ AN CLOIGEANN DE AGUS CHUIR SÍ AN T-ÓR I BHFOLACH...

... BLIANTA INA DHIAIDH SIN, THÁINIG RÍ EILE AR AR TUGADH ALASTAR...

... THÓG SÉ ÓRCHISTE CHÍORAIS, AGUS D'ORDAIGH SÉ É A LEÁ...

265

... AGUS RINNEADH LIATHRÓID MHÓR DEN ÓR, MAR A BHEADH AN GHRIAN ANN, AGUS CHUIR SÉ I BHFOLACH É I SCAILP SLÉIBHE...

... AGUS SIN DEIREADH LE SCÉAL THRELAWNY 'AN T-ÓR MÓR' ...

ACH SIN SCÉAL GAN DEIREADH DEAS SONA!

...GAN DEIREADH 'DEAS SONA'?

AN LÁ DÁR GCIONN...

I NDÁIRÍRE?

BAIGH DAD, ACH TÁ TÚ AG BREATHNÚ THAR CIONN ...

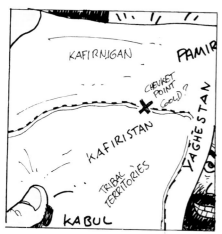

267

... SIN AN CEANTAR TEORANN INA BHFUIL AN RÚIS AGUS SASANA IN ADHARCA A CHÉILE. 'AN CLUICHE MÓR', MAR A THUG KIPLING AIR ... D'FHÉADFADH RUD AR BITH TARLÚ, CAITHFIMID DEIFIR A DHÉANAMH ...

A CHORTO, TÁIMID TAR ÉIS TEACHT AR PHLUAIS...

... AR AN TAOBH EILE DEN DROICHEAD - DÍREACH MAR A DÚIRT TÚ - AGUS DEAMHAN MAR GHARDA UIRTHI ...

270

271

273

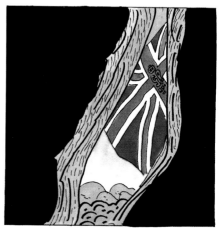

277